Diese Persönliche
Chronik ist für:

Das Buch vom

8.

DEZEMBER

Ein ganz besonderer Tag

... ein ganz besonderer Tag

K atholiken begehen am 8. Tag des Monats Dezember seit 1708 das »Fest der unbefleckten Empfängnis« der heiligen Maria. Als Namenspatrone des Tages firmieren u. a. die heilige Edith, die heilige Märtyrerin Sabina und der heilige Konstantin, der 1145 verstorbene Abt von Orval.
Die Weltgeschichte kennt den 8. Dezember als Tag außergewöhnlich wichtiger Ereignisse:

899 starb mit Arnulf von Kärnten der letzte karolingische König von Rang im Ostfränkischen Reich.
1869 trat in der Peterskirche das Erste Vatikanische Konzil zusammen.
1886 wurde in Columbus die »American Federation of Labor« gegründet, die die Gewerkschaftsbewegung in den USA stärkte.
1941 erklärten sich Japan und die USA gegenseitig den Krieg.

Der 8. Dezember hat viele prominente Geburtstagskinder hervorgebracht: Camille Claudel war eine der besten Bildhauerinnen um die Jahrhundertwende; der 1925 geborene Sammy Davis jr. eroberte als »Mr. Wonderful« die Welt; Jim Morrsion von den »Doors« sicherte sich trotz seines frühen Todes 1971 einen Platz in der Musikgeschichte.

Im Zeichen des Schützen
23. November bis 21. Dezember

Wer am 8. Dezember das Licht der Welt erblickt hat, ist unter dem Tierkreiszeichen des Schützen geboren. Es ist das am weitesten entwickelte Feuerzeichen. Sein sinnfälliges Symbol ist der Pfeil mit drei Köpfen. Er steht für Schnelligkeit, Treffsicherheit und Entschlußkraft. Diese dynamischen Charaktereigenschaften sind allen Schützegeborenen eigen. Als aktive, zupackende und dennoch meist wohlgelaunte Menschenkinder fliegen ihnen die Sympathien in Beruf und Privatleben nur so zu. Kein Problem bringt den Schützen schnell aus der Ruhe.

Die lösungsorientierte Ader der Schützenkinder schlägt sich in außergewöhnlich vielen Forschernaturen unter ihnen nieder. Der Chemienobelpreisträger Fritz Haber, der die künstliche Ammoniakherstellung erfand, ist ebenso ein Schütze gewesen wie Robert Koch, Entdecker des Tuberkelbazillus und Nobelpreisträger für Medizin.

Lösungen erfordern viel Fantasie, vielleicht einer der Gründe, warum auch viele Dichter, Künstler und Entertainer unter den Schützen sind. Gustave Flaubert, einer der wichtigsten französischen Schriftsteller des 19. Jahrhunderts, der deutsche Maler Otto Dix und der amerikanische Sänger Frank Sinatra sind Beispiele für diese Talente.

1900-1909

Highlights des Jahrzehnts

1900

- Weltausstellung in Paris
- Niederschlagung des Boxeraufstandes in China
- Uraufführung der Oper »Tosca« von Giacomo Puccini in Rom
- Probefahrt des ersten Zeppelins »LZ 1«

1901

- Die britische Königin Victoria stirbt
- Erste Nobelpreise verliehen
- Thomas Mann veröffentlicht die »Buddenbrooks«
- Mordattentat auf US-Präsident McKinley, Theodore Roosevelt wird Nachfolger

1902

- Beendigung des Burenkrieges in Südafrika
- Krönung Eduards VII. zum König von Großbritannien
- Inbetriebnahme der Transsibirischen Eisenbahn
- Kunstströmung »Jugendstil« auf dem Höhepunkt

1903

- Serbischer König Alexander I. ermordet
- Erste Tour de France
- Erster Motorflug der Brüder Wright
- Kampf der Suffragetten um das Frauenwahlrecht
- Margarethe Steiff präsentiert den »Teddy-Bären«

1904

- Hereroaufstand in Deutsch-Südwestafrika
- Beginn des Russisch-Japanischen Krieges

- Arthur Korn gelingt die erste Bildtelegraphie

1905

- Petersburger »Blutsonntag«
- Tangerbesuch Wilhelms II. führt zur Ersten Marokkokrise
- Albert Einstein entwickelt »Spezielle Relativitätstheorie«
- Künstlergemeinschaft »Die Brücke« wird gegründet

1906

- Revolutionäre Unruhen und erstes Parlament in Rußland
- Roald Amundsen duchfährt die Nordwestpassage
- Dreyfus-Affäre beigelegt
- Erdbeben verwüstet San Francisco

1907

- Pablo Picasso malt »Les Demoiselles d'Avignon« und begründet den Kubismus
- Erste Farbfotografien von Louis Jean Lumière

1908

- Ford baut Modell T (»Tin Lizzy«)
- Österreich-Ungarn annektiert Bosnien und Herzegowina
- Durchbruch der olympischen Idee bei Spielen in London
- 30 000 Jahre alte Statuette (Venus von Willendorf) gefunden

1909

- Robert E. Peary erreicht als erster Mensch den Nordpol
- Louis Blériot überfliegt den Ärmelkanal
- Unruhen in Persien: Schah Mohammed Ali dankt ab

Als »sterbender Schwan« wird Anna Pawlowa weltberühmt (1908)

1900

 Politik

Den Staatschef ohne Land, Südafrikas Präsident Paulus »Ohm« Krüger, empfängt Königin Wilhelmina in Den Haag. Krügers Burenrepublik ist im September von Großbritannien annektiert worden. Die europäische Kolonialmacht hat damit der Unabhängigkeit der Buren, Nachfahren holländischer Siedler, ein Ende gemacht. Krüger wurde von der deutschen und niederländischen Bevölkerung begeistert als »Freiheitsheld« empfangen. Königin Wilhelmina sitzt hingegen zwischen den Stühlen: Die niederländische Krone fühlt sich »ihren« burischen Siedlern historisch verbunden. Andererseits besitzen die Niederlande sehr enge Beziehungen zu Großbritannien, die auch in historischer Dankbarkeit wurzeln: Die Engländer haben den Niederländern bei ihrem Freiheitskampf gegen Spanien im 16. Jahrhundert beigestanden. Trotzdem kritisiert Wilhelmina – wie auch andere europäische Staatschefs – die große Brutalität der Briten im Burenkrieg, der 1902 endgültig zu Ende geht. Südafrika erhält 1907 innere Autonomie und 1910 praktisch die Unabhängigkeit.

 Wetter

Im Dezember 1900 ist besonders schönes Wetter. Die Durchschnittstemperatur liegt mit 3,4 °C weit über dem langjährigen Mittel von 0,7 °C.

1901

Sonntag 8. Dezember

Kultur

Berlin bekommt eine neue Stimme: Die Oper bestätigt die Gerüchte um ein Engagement von Geraldine Farrar. Die 19jährige Sopranistin aus Amerika bleibt für sechs Jahre in der Reichshauptstadt. Dann kehrt sie nach New York zurück – an die Metropolitan Opera. Die Farrar ist eines der größten Gesangstalente der Jahrhundertwende. Sie stand schon mit drei Jahren auf der Bühne.

Preise in den Jahren 1900–1909

1 kg Butter	2,46
1 kg Mehl	0,35
1 kg Fleisch	1,55
1 Ei	1,05
1 l Vollmilch	1,00
10 kg Kartoffeln	0,65

in Mark, Stand 1905

Politik

Rußland protestiert gegen die geplanten deutschen Zölle auf Getreideimporte. Russisches Getreide ist weitaus billiger als das Korn der deutschen Großgrundbesitzer. Noch günstiger ist der amerikanische Weizen. Die deutschen »Junker« wollen ihre Gewinne durch die Zölle schützen.

Wetter

Mit höheren Temperaturen als gewöhnlich geht das Jahr zu Ende. Im Dezember 1901 sinkt das Thermometer nur auf 1,6 °C, während es in den Dezember-Monaten der Vorjahre durchschnittlich erst bei 0,7 °C stehengeblieben war.

Montag 8. Dezember

 Politik

Harte Bandagen ziehen Großbritannien und Deutschland gegen Venezuela auf. Die Europäer stellen dem südamerikanischen Land ein Ultimatum zur Zahlung von Schadensersatz für ausländischen Besitz, der während einer Revolution zerstört worden ist – darunter sind Eisenbahnen von Krupp und Handelskontore von Blohm. Als Präsident Castro die Zahlungsunfähigkeit erklärt, versenken Schiffe beider Länder venezolanische Kreuzer, bombardieren Puerto Cabello und schotten das Land ab dem 20. Dezember von seinen Schiffsverbindungen ab. Erst die Vermittlung der USA bringt 1903 eine Entspannung.

 Technik

Die deutsche Marineleitung dementiert, daß das in Kiel liegende U-Boot aus Amerika dem Aufbau einer deutschen U-Boot-Flotte diene. Tatsache ist, daß Deutschland im Ersten Weltkrieg die größte und modernste Unterseeboot-Marine hat.

 Wetter

Freundlich, aber relativ kühl zeigt sich der Dezember 1902. Die durchschnittliche Temperatur liegt mit −1,8 °C erheblich unter dem langjährigen Mittelwert für den Monat (0,7 °C).

Dienstag 8. Dezember

Technik

Die Gebrüder Wright haben Glück, denn ihr schärfster Konkurrent bei der Erfindung des Motorflugzeugs, Samuel Pierpont Langley, scheitert: Auf einem Hausboot hat der Tüftler aus Washington ein Flugzeug installiert, das mit laufendem Motor in die Luft katapultiert wird und dann fliegen soll. Das Katapultieren klappt, nicht aber das Fliegen. Langley geht mit seinem Flugzeug baden. In genau zehn Tagen entscheiden die Brüder Wright den »Wettlauf in die Luft«: Für 12 Sekunden fliegt Orville Wright mit Motorkraft.

Rekorde
1900–1909

400 m: Maxey Long (USA) – 47,8 sec (1900)
Weitsprung: Peter O' Connor (IRL) – 7,61 m (1901)
Stabhochsprung: Walter Dray (USA) – 3,90 m (1908)
Kugelstoßen: R. Rose (USA) – 15,56 m (1909)

Gesellschaft

Trotz des Verbotes von 1902 unterrichten in Frankreich nach Angaben der Regierung an 3494 Schulen kirchliche Würdenträger. Paris versucht, die Kirche aus dem täglichen Leben hinauszudrängen.

Wetter

Wesentlich trockener als in den Vorjahren bleibt der Dezember diesmal. Mit 10,9 mm liegt die Niederschlagsmenge weit unter dem langjährigen Mittelwert von 41 mm.

Donnerstag 8. Dezember

 Politik

Hohe Gefängnisstrafen erhalten albanische Beamte im Dienst des osmanischen Sultans, weil sie im Oktober Einrichtungen der österreichisch-ungarischen Post angegriffen haben. Der eigentlich unwichtige Zwischenfall hätte das »Pulverfaß Balkan« fast zur Explosion gebracht. Der Sultan hat die scharfe Bestrafung veranlaßt, um die Österreicher zu besänftigen. Albanien steht seit dem 15. Jahrhundert unter osmanischer Herrschaft. Hier wie im gesamten Balkan streiten Rußland, Österreich-Ungarn und die Osmanen um Einfluß. Die Gefahren zeigt das Jahr 1914: Ein Attentat in Sarajevo auf den österreichisch-ungarischen Thronfolger wird zum Auslöser des Ersten Weltkrieges.

 Politik

477 822 neue glückliche Paare gibt es bisher 1904 nach Behördenangaben in Deutschland. Das sind 3,2 % mehr Eheschließungen als 1903.

 Wetter

Mildes und feuchtes Wetter bestimmt den Dezember 1904. Mit 3,5 °C bleibt es ungewöhnlich warm. Meist als Regen fällt der Niederschlag; mit 45,9 mm etwas mehr als im langjährigen Monatsdurchschnitt (41 mm).

Freitag 8. Dezember

Politik

Etwas freier sind Rußlands Redakteure durch den »Ukas« von Zar Nikolaus II. Das Gesetz bestimmt, daß ab sofort für alle periodisch erscheinenden Presseerzeugnisse nur noch die Nachzensur gilt. Bisher mußten Zeitschriften- und Zeitungsredaktionen vor dem Druck die Artikel und Fotos zur Genehmigung vorlegen – nun erst das fertige Gesamtwerk. Wegen der Zeitersparnis sind die Printmedien jetzt etwas aktueller.

Brasilien glaubt Opfer einer deutschen Invasion zu werden, als das Kriegsschiff »Panther« in Rio de Janeiro Soldaten absetzt. Die Verwirrung legt sich rasch: Die Matrosen fangen nur einen Deserteur ein.

Politik

Als »vaterslandslose Gesellen« stehen die Sozialdemokraten da. Sie verweigern im Reichstag die Annahme eines Gesetzes zur Aufstockung der deutschen Flotte. Kanzler Bülow versichert, daß diese nur den »Frieden sichert«.

Wetter

Relativ warm und fast niederschlagsfrei ist der Dezember in diesem Jahr. Das Thermometer sinkt nur selten unter den Gefrierpunkt. Die Durchschnittstemperatur liegt 1,5 Grad über dem langjährigen Mittelwert für Dezember (0,7 °C).

1906

 Politik

Die junge britisch-französische Freundschaft ist nach den gestrigen verbalen Ausfällen von Winston Churchill in Gefahr. Frankreich äußert seine Beunruhigung über die Forderungen des Kolonialpolitikers, den britischen Besitz in Westafrika »zu einem Ganzen« zusammenzufassen. Geographisch ist dies nur möglich, wenn Frankreich Teile seines Kolonialbesitzes in dieser Region den Briten übergibt – wozu Paris keinen Anlaß sieht. Beide Staaten, über Jahrhunderte fast Erzfeinde, sind seit 1904 Quasi-Verbündete durch die »Entente cordiale«.

 Politik

Eine spanisch-französische Flotte läuft in Richtung Marokko aus. Das Sultanat in Nordafrika ist Halbkolonie beider Länder und wird vom Aufstand des Berber-Häuptlings Raisuli erschüttert. Als die Schiffe ankommen, hat der Sultan von Marokko den Aufstand schon beendet, um gegenüber seinen Kolonialherren Handlungsfähigkeit zu zeigen.

 Wetter

Anhaltende Schneefälle und Temperaturen bis zu –10 °C sorgen im Dezember 1906 für eine weiße Weihnacht. Der eisige Ostwind beschert einen der kältesten Winter seit Beginn des Jahrhunderts.

1907

Sonntag 8. Dezember

Politik

Den Kampf gegen die Ungleichheit des Wahlrechtes in Sachsen führen die Sozialdemokraten mit Großveranstaltungen in allen Städten des deutschen Teilstaates. König Albert von Sachsen hat 1896 das gleiche Wahlrecht zugunsten eines Dreiklassenwahlrechtes abgesetzt. Wie in Preußen haben die Stimmen der Einwohner in Sachsen ein unterschiedliches Gewicht, das sich nach dem Vermögen richtet.

Gesellschaft

Mit Stolz gedenken die Schweden ihres verstorbenen Königs Oscar II. Er war der letzte König, der fast ganz Skandinavien beherrschte. Von 1872 bis 1905 war er auch Herrscher über Norwegen, das sich aber dann für unabhängig erklärte.

Wetter

Fast Frühlingsstimmung herrscht im Dezember 1907. Anders als im Vorjahr bestimmt laue, feuchte Luft mit einer Durchschnittstemperatur von 1,6 °C und anhaltenden Regengüssen das Wetter.

Stars der Jahre
1900–1909

Isadora Duncan
Tänzerin
Gustav Mahler
Komponist/Dirigent
Anna Pawlowa
Tänzerin
Sarah Bernhardt
Schauspielerin
Orville/Wilbur Wright
Flieger

Politik

Der Religionsunterricht an britischen Schulen ist gesichert. Premierminister Asquith zieht das geplante Gesetz zurück, das die Religionsstunden durch einen allgemeinen »Moralunterricht« ersetzen wollte. Asquith hat in Gesprächen bemerkt, daß das Gesetz im Parlament chancenlos ist.

 Politik

»Linie ohne Bauch«:
Das Korsett, ein
modisches Muß für
die elegante Frau

Baldige Freiheit für Kuba kündigt US-Präsident Roosevelt an. Die Amerikaner haben die Karibikinsel 1906 besetzt, als eine US-feindliche Regierung an der Macht war. Jetzt hat der amerikafreundliche Kandidat José Miguel Gómez die Präsidentschaftswahlen gewonnen. Nach seinem Amtsantritt ziehen die US-Truppen ab. Kuba beliefert die USA mit Zuckerrohr und Tabak.

Wetter

Kalt und fast niederschlagsfrei ist der Dezember 1908. Das Thermometer fällt auf durchschnittlich –0,9 °C. Die Niederschlagsmenge von 11 mm liegt weit unter dem langjährigen Mittelwert für diesen Monat (41 mm).

1909

Mittwoch 8. Dezember

Technik

Österreichs erster Flugplatz wird bei Wiener Neustadt eröffnet. Den ersten Hangar mietet der österreichische Flugpionier Igo Etrich. Er hat das »Etrich-Taube« genannte Flugzeug erfunden, das erste Motorflugzeug Österreichs. Angeregt zu der Konstruktion des als sehr sicher geltenden Fluggerätes wurde Etrich durch das Studium der Fledermäuse und der segelnden Samen des Kürbisgewächses Zanonia.

Gute Figur in Sakkoanzug und Wettermantel: Die Mode für den Herrn

Gesellschaft

Der völkerverbindende Austausch von Studenten wird in London vom deutsch-englischen Freundschaftskomitee erfunden. Der 1905 entstandene Verein will die intellektuell-technische Elite beider Staaten zusammenbringen. Die Idee verbreitet sich in Europa und der neuen Welt wie ein Lauffeuer.

Wetter

Bei mildem Wetter um 2,6 °C fallen im Dezember 1909 fast täglich Niederschläge. Während der langjährige Monatsdurchschnitt für den Dezember bei 41 mm liegt, fallen in diesem Jahr 62 mm.

21

1910-1919

Highlights des Jahrzehnts

1910

Georg V. wird nach dem Tod Eduards VII. britischer König
Der Halleysche Komet passiert die Erde
Bürgerliche Revolution beendet Monarchie in Portugal
Wassily Kandinsky begründet die abstrakte Malerei
Sieg des Schwarzen Jack Johnson bei Box-WM

1911

Bürgerkrieg in Mexiko
»Panthersprung nach Agadir« löst Zweite Marokkokrise aus
Militärputsch leitet chinesische Revolution ein
Roald Amundsen gewinnt den Wettlauf zum Südpol

1912

Erster Balkankrieg
Woodrow Wilson wird 28. US-Präsident
Untergang der »Titanic«
Büste der ägyptischen Königin Nofretete gefunden

1913

Zweiter Balkankrieg
Niels Bohr entwirft neues Atommodell
Größter Bahnhof der Welt (Grand Central Station) in New York eingeweiht

1914

Österreichs Thronfolger in Sarajevo ermordet
Ausbruch des Ersten Weltkrieges
Eröffnung des Panamakanals

1915

- Stellungskrieg im Westen
- Beginn der Ostoffensive
- Charlie Chaplin wird mit »Der Tramp« Star des US-Kinos
- Versenkung der »Lusitania« durch ein deutsches U-Boot

1916

- Schlacht um Verdun
- Osteraufstand in Irland niedergeschlagen
- Seeschlacht vor dem Skagerrak
- Der österreichische Kaiser Franz Joseph I. stirbt
- Rasputin ermordet

1917

- Beginn des uneingeschränkten U-Boot-Krieges
- Zar Nikolaus II. dankt ab
- Oktoberrevolution in Rußland

1918

- US-Präsident Wilson verkündet 14-Punkte-Programm zur Beendigung des Krieges
- Russische Zarenfamilie ermordet
- Waffenstillstand von Compiègne beendet Ersten Weltkrieg
- Novemberrevolution: Kaiser Wilhelm II. dankt ab, Philipp Scheidemann ruft die deutsche Republik aus

1919

- Spartakusaufstand niedergeschlagen
- Rosa Luxemburg und Karl Liebknecht ermordet
- Friedrich Ebert erster Reichspräsident
- Versailler Vertrag

Im Kampf gegen widrige Verhältnisse: Charlie Chaplin als »Tramp« (1915)

1910

**Preise in den
Jahren 1910–1919**

1 kg Butter	2,74
1 kg Mehl	1,90
1 kg Fleisch	3,00
1 Ei	0,13
1 l Vollmilch	0,25
10 kg Kartoffeln	3,30
Stundenlohn	0,66

in Mark, Stand 1913

🌐 *Politik*

Österreichs Unruhe über die jüngsten deutsch-russischen Gespräche belegt der Blitzbesuch von Thronfolger Ferdinand beim deutschen Kaiser Wilhelm II. Die Wiener Führung ist besorgt wegen des zweitägigen, offenbar sehr herzlichen Treffens von Wilhelm mit Zar Nikolaus II. im November. Österreich ist mit Deutschland verbündet und stand mehrmals mit Rußland am Rand eines Krieges. Die Befürchtungen Wiens zerschlagen sich, auch wenn Kaiser und Zar sich in ihren Briefen »Niki« und »Willi« nennen.

🌐 *Politik*

Frankreich hält zu Großbritannien in der Ägyptenfrage. Ein französischer Journalist wird aus Ägypten abberufen, weil er die Unabhängigkeit des britisch besetzten Landes forderte.

 Wetter

Außergewöhnlich freundlich endet das Jahr 1910. Die mittlere Temperatur liegt im Dezember mit 3 °C über dem langjährigen Durchschnitt (0,7 °C).

1911

Freitag 8. Dezember

Eine letzte Frist für den Kaiser von China bedeutet die Verlängerung eines Waffenstillstands mit den republikanischen Rebellen um 14 Tage. Der 1905 ausgebrochene Bürgerkrieg ist in seine letzte Phase getreten. Am 29. Dezember rufen die Rebellen die Republik China aus. Das mehr als 2000 Jahre alte Kaiserreich China ist untergegangen.

Politik

Erneut droht ein russisch-türkischer Krieg, als sich der osmanische Sultan weigert, allen russischen Schiffen freie Fahrt durch den Bosporus zu garantieren. Die »Meerengenöffnung«, die ungehinderte Durchfahrtsmöglichkeit der russischen Schwarzmeerflotte ins Mittelmeer, ist das wichtigste Ziel der russischen Außenpolitik seit dem 17. Jahrhundert. Das Osmanische Reich wird gegen Rußland von Großbritannien und Deutschland gestützt, um das Gleichgewicht der Kräfte in Europa und dem Mittelmeerraum zu erhalten.

Wetter

Bei durchschnittlich 3 °C kann im Dezember 1911 von Winter keine Rede sein. Die weiße Weihnacht fällt bei anhaltenden Regenfällen und Sturm buchstäblich ins Wasser.

1912

Sonntag 8. Dezember

 Kultur

Die Dreharbeiten zu »Der Andere« von Max Mack beginnen in Berlin. Das Werk gehört zum neuen Genre des Literaturfilms und folgt einer Erzählung von Paul Lindau. Als der Film 1913 in die Kinos kommt, sorgt er für angeregte Diskussionen, da er die Schuldfähigkeit hinterfragt. Die Hauptfigur ist – ähnlich wie im berühmten »Dr. Jekyll und Mr. Hyde« – in einen schlechten und einen guten Persönlichkeitsteil gespalten.

 Politik

Mehl statt Waffen finden griechische Matrosen an Bord des italienischen Handelsschiffes »Adriatico«. Griechenlands Marine hat das Albanien anlaufende Schiff beschlagnahmt, weil Geheiminformationen über Gewehre an Bord der »Adriatico« vorlagen. Albanien hat im November seine Unabhängigkeit vom Sultan des Osmanischen Reiches erklärt, sieht sich aber nun von den umliegenden Staaten bedroht, die es unter sich aufteilen wollen.

 Wetter

Wie schon im Jahr zuvor ist das Wetter im Dezember 1912 viel zu mild. Die Temperaturen bewegen sich um 4,3 °C. Der langjährige Mittelwert für diesen Monat liegt bei 0,7 °C.

1913

Montag 8. Dezember

Sport

Gerade 75 Sekunden »Boxing« braucht Georges Carpentier aus Frankreich, um Europameister im Schwergewicht zu werden. Er besiegt in London den englischen Titelverteidiger Billy Wells durch K.o. Wells ist zwar an Körperkraft überlegen, aber nicht so wendig wie der Franzose und außerdem schlecht in der Deckung. Frankreich ist nun die führende Nation im Boxsport in Europa. Weltweit liegen hingegen die Amerikaner mit ihren Größen vorn. Deutschland ist noch Box-Entwicklungsland. Gerade einmal seit 1908 sind hier öffentliche Box-kämpfe überhaupt gestattet.

Politik

Kanada stoppt die Einwanderung aus Indien für drei Monate. Grund ist die Überlastung des Arbeitsmarktes mit Handwerkern.

Wetter

Mit reichlich Regen und viel zu hohen Temperaturen (um 3,4 °C) präsentiert sich der Dezember 1913. Während in diesem Monat gewöhnlich 41 mm Niederschlag fallen, sind es jetzt 114 mm.

Rekorde 1910–1919

Schwimmen: H. Hebner (USA) – 1:20,8 min/100 m Rücken (1912)
100 m: Nina Popowa (RUS) – 13,1 sec (1913)
Hochsprung: C. Larson (USA) – 2,03 m (1917)
Speerwerfen: Jonni Myyrä (FIN) – 66,10 m (1919)

1914

Dienstag 8. Dezember

 Politik

Paris jubelt über die Rückkehr der französischen Regierung in die Hauptstadt. Seit über vier Monaten tobt der Erste Weltkrieg und die deutsche Armee schien im September kurz vor der Eroberung der Seine-Metropole zu stehen – die Staatsleitung verließ die Stadt. Das »Wunder an der Marne«, ein überraschender Verteidigungssieg französischer Truppen, beendete die Krise. Die Front ist nun so weit stabilisiert, daß eine Eroberung von Paris nicht mehr zu befürchten ist.

Stars der Jahre
1910–1919

David Wark Griffith
Filmregisseur
Mary Pickford
Filmschauspielerin
Enrico Caruso
Sänger
Douglas Fairbanks
Filmschauspieler
Charlie Chaplin
Filmschauspieler

 Politik

Die Spitzen der deutschen Industrie haben Lothringen und Afrika ins Auge gefaßt. In einem speziell eingerichteten Ausschuß haben sie über die deutschen Kriegsziele debattiert: Zentralafrika und die lothringischen Erze sind ihre Mindestziele.

 Wetter

Angenehm mild wie seine Vorgänger kommt auch der Dezember 1914 daher. Die Temperaturen liegen im Durchschnitt bei 4,3 °C und übersteigen damit den langjährigen Mittelwert (0,7 °C) erheblich.

1915

Mittwoch 8. Dezember

Politik

Strengere Rationierungsbestimmungen treten durch die neuen Gesetze, die heute den Bundesrat passieren, in Kraft. Butter und Fett sind nun nur noch gegen Bezugsmarken zu haben. Seit Kriegsbeginn hat sich die Ernährungslage im Deutschen Reich sehr verschlimmert. Jede Woche gibt es zwei fleischlose Tage, an denen nirgends fleischhaltige Gerichte verkauft oder zubereitet werden dürfen. Schon seit Januar dieses Jahres ist der Mehl- und Brotverkauf rationiert.

Politik

Die amerikanische Demokratische Partei nominiert Präsident Woodrow Wilson erneut zum Spitzenkandidaten für die Wahlen 1916. Wilson tritt für eine aktive Friedenspolitik Amerikas ein, die auch vor der Drohung zum Kriegseintritt nicht haltmachen dürfe. Unter Wilson treten die USA 1917 auf der Seite von Großbritannien und Frankreich in den Krieg ein.

Wetter

Wie in den vergangenen Jahren will es auch im Dezember 1915 noch nicht so richtig Winter werden. Die milden Temperaturen lassen die 62 mm Niederschlag überwiegend als Regen zur Erde fallen.

Technik

Neue Bedeutung der Luftwaffen: Deutschland meldet für November den Abschuß von 71 Feindmaschinen bei 31 Eigenverlusten. Gerade über den Schützengräben der Westfront spielen sich fast ständig Luftkämpfe ab. Die Flugzeuge sind in der Lage, tief in die feindlichen Linien hinein Angriffe zu fliegen und die Stellungen auszukundschaften. Der Erste Weltkrieg ist der erste Krieg, in dem Flugzeuge militärisch eine wichtige Rolle spielen.

Die Herrenkleidung wird sportlicher. Dazu gehört der weiche Hut

 Gesellschaft

In den deutschen Schulen wird den Schülern heute genau erklärt, wie ihre Väter als Soldaten vor zwei Tagen Bukarest erobert haben. Aus diesem Anlaß gab es gestern schulfrei. Solche Verbindungen zwischen Kriegsgeschehen und Heimatleben sollen die Moral der Bevölkerung stärken.

 Wetter

Ein weiterer milder Winter scheint sich im Dezember 1916 mit durchschnittlich 3,1 °C anzukündigen. Die Niederschlagsmenge fällt mit 73 mm hoch aus.

1917

Samstag 8. Dezember

Politik

Eine strahlende Zukunft verspricht die bürgerliche Regierung in der Ukraine ihren Bürgern. Um Tatkraft zu beweisen, verabschiedet sie heute Gesetze, die den Besitz der Kirche verstaatlichen, den Achtstundentag einführen und die Todesstrafe abschaffen. Im russischen Bürgerkrieg bis 1920 ist die Ukraine nur kurz unabhängig von der UdSSR.

Politik

Auf gewisse Unabhängigkeit muß Großbritannien weiter bestehen. Die Pläne für einen gemeinsamen Oberbefehlshaber über die britisch-französischen Truppen in Frankreich scheitern am entschiedenen britischen Widerstand. Die ständige Abstimmung der beiden verbündeten Generalstäbe im Krieg fordert weiterhin viel Zeit.

Das praktische Sportkleid für die Jagd und für Bergtouren

Wetter

Zum ersten Mal seit Jahren sinkt die Temperatur im Dezember 1917 unter den Mittelwert der Vorjahre (0,7 °C). Mit durchschnittlich –0,5 °C herrscht kaltes Winterwetter vor.

31

Sonntag 8. Dezember

 Politik

Zurück an die Macht will das deutsche Militär. Oberbefehlshaber Paul von Hindenburg fordert den Chef der provisorischen Reichsregierung Friedrich Ebert auf, die militärische Kommandogewalt wiederherzustellen. Der Sozialist Ebert verweigert das entschieden, weil er genau weiß, wie sehr das Militär versagt hat. Anstatt den Krieg schon vor Jahren mit dem Eingeständnis zu beenden, daß Deutschland nicht gewinnen kann, haben Hindenburg und Erich Ludendorff unhaltbare Siegesvisionen gepredigt, bis im November der Totalzusammenbruch erfolgte. Nun schieben die Militärs den Zivilisten die Schuld an der Niederlage zu.

 Politik

Hamburgs Arbeiter- und Soldatenräte, Zusammenschlüsse von Revolutionären, wollen an Schulen Religionsunterricht und Andachten verbieten. Dazu kommt es allerdings nicht.

 Wetter

Von seiner milderen Seite zeigt sich der Dezember in diesem Jahr. Durchschnittlich 3,8 °C lassen auf einen kurzen Winter hoffen. Die Niederschläge erreichen mit 82 mm einen für den Monat recht hohen Wert; das langjährige Mittel liegt bei 41 mm.

1919

Montag 8. Dezember

Kultur

Das Kabarett »Schall und Rauch« von Max Reinhardt eröffnet im Untergeschoß des Großen Schauspielhauses in Berlin. Max Reinhardt leitet das gerade eingeweihte Theater, das 5000 Plätze besitzt. Im kleinen Kabarettsaal ist die Atmosphäre intimer. »Schall und Rauch« ist eines der wichtigsten Kabaretts der Weimarer Republik. Genaugenommen ist es die Wiedergeburt einer Reinhardt-Gründung von 1901.

Schweigen herrscht während einer Gedenkminute im französischen Parlament. Die Kammer begrüßt die Abgeordneten Elsaß-Lothringens, die erstmals seit der deutschen Annexion 1871 wieder vertreten sind.

Politik

Die Curzon-Linie wird geboren: Der Brite Curzon schlägt auf einer Konferenz in Paris die Linie Dünaburg-Grodno-Brest-Przemysl als polnische Ostgrenze vor, um den polnisch-russischen Krieg zu beenden. Die Curzon-Linie bleibt bis 1945 der Albtraum aller polnischen Regierungen.

Wetter

Mit 88 mm fallen im Dezember 1919 noch mehr Niederschläge als im Vorjahr. Bei deutlich kälteren Temperaturen (Durchschnitt 0,3 °C) gehen sie allerdings häufiger als Schnee nieder.

1920-1929

Highlights des Jahrzehnts

1920

Prohibition: Alkoholverbot in den USA

NSDAP verabschiedet ihr Programm

Kapp-Putsch scheitert

Erstmals Salzburger Festspiele

1921

Alliierte besetzen das Rheinland

Hitler wird NSDAP-Vorsitzender

Hormon Insulin entdeckt

Rudolph Valentino wird Frauenidol

Vertrag von Sèvres bedeutet Ende des Osmanischen Reichs

1922

Hungersnot in Rußland

»Deutschlandlied« wird zur Nationalhymne erklärt

Mussolinis Marsch auf Rom

Gründung der UdSSR

Grab des Tutanchamun entdeckt

Deutsch-russische Annäherung durch Vertrag von Rapallo

Gründung der BBC

Johnny Weissmuller stellt über 100 m Kraul den ersten seiner 67 Weltrekorde auf (58,6 sec)

1923

Franzosen besetzen Ruhrgebiet

Hitlers Putschversuch scheitert

Währungsreform beendet Inflation im Deutschen Reich

Die Türkei wird Republik

1924

Erstmals Olympische Winterspiele

Revolutionsführer Lenin stirbt

Dawes-Plan lockert finanzielle Zwänge für Deutschland

VIII.Olympische Spiele: Läufer Paavo Nurmi gewinnt 5 Goldmedaillen

1925

- Einparteiendiktatur in Italien
- Neugründung der NSDAP
- Hindenburg wird nach dem Tod Eberts Reichspräsident
- Europäische Entspannung durch Locarno-Pakt
- Joséphine Baker wird im Bananenröckchen zum Weltstar

1926

- Japans Kaiser Hirohito besteigt den Thron
- Militärputsch Pilsudskis in Polen
- Walt Disneys Mickey Mouse erblickt das Licht der Welt
- Deutschland im Völkerbund

1927

- Stalin entmachtet politische Gegner
- Charles Lindbergh überfliegt den Atlantik
- Uraufführung des Films »Metropolis« von Fritz Lang

1928

- Briand-Kellogg-Pakt zur Kriegsächtung unterzeichnet
- Alexander Fleming entdeckt das Penicillin
- »Dreigroschenoper« von Brecht und Weill uraufgeführt
- Erste Transatlantik-Fluglinie

1929

- Youngplan regelt Reparationen
- »Schwarzer Freitag« in New York löst Weltwirtschaftskrise aus
- Erste Oscar-Verleihung in Hollywood
- Antikriegs-Roman »Im Westen nichts Neues« von Erich Maria Remarque

Der Charleston erobert in den 20er Jahren weltweit die Tanzsäle

1920

Mittwoch 8. Dezember

 Politik

Farben aus dem Ausland sind in Großbritannien ab heute nicht mehr zu haben. Das Farbstoffgesetz verbietet für zehn Jahre die Verwendung von nicht-britischen Erzeugnissen. Damit will die Regierung der eigenen chemischen Industrie die Möglichkeit geben, ihre eigenen Produkte qualitativ anzuheben. Britische Farben sind weitaus schlechter als Konkurrenzprodukte aus Frankreich oder Deutschland, wo BASF Spitzenreiter ist.

 Politik

In der MSPD endet ein Streit über die Möglichkeit von Koalitionen. Der Parteiausschuß gestattet seinen Landes- und Regionalverbänden, sich an Regierungen zu beteiligen, an denen rechtslastige Parteien mitwirken. Auf Reichsebene bleiben diese Koalitionen untersagt.

Rekorde in den 20er Jahren

Schwimmen: J. Weissmuller (USA) – 58,6 sec/ 100 m Freistil (1922)
10 000 m: P. Nurmi (FIN) – 30:06,1 min (1924)
1500 m: O. Peltzer (GER) – 3:51,0 min (1926)
Kugelstoßen: Emil Hirschfeld (GER) – 16,04 m (1928)

 Wetter

Kalt und trocken ist das Wetter im Dezember 1920. Die Temperaturen bewegen sich um den Gefrierpunkt. Die Niederschlagsmenge liegt mit 43 mm unter der der letzten Jahre.

1921

Gesellschaft

1 Mark Porto kostet ab sofort der »Normalbrief« bei der Reichspost, die Postkarte 60 Pfennig. Für Telegramme zahlen Kommunikationswütige pro Wort 75 Pfennig – das sind über 100% Steigerung. Die Reichspost muß die Gebühren kräftig anheben, da sie im letzten Jahr ein Rekorddefizit von 4 Mrd. Mark eingefahren hat.

Politik

Das ganze Ausmaß des Bankenzusammenbruchs bei der Pfälzischen Bank in Ludwigshafen wird in der Presse bekannt. 340 Mio. Mark hat die Bank durch fehlgeschlagene Spekulationen verloren; auf der Habenseite stehen nur 100 Mio. Mark. Die Gläubiger der Bank können also 240 Mio. Mark als Verlust abschreiben. Spekulationen sind im wirtschaftsschwachen Nachkriegsdeutschland ausgesprochen häufig. Sichere Börsen- und Währungsgeschäfte sind wegen der Unberechenbarkeit des Marktes fast unmöglich.

Wetter

Mehr Niederschläge als gewöhnlich bei einer für die Jahreszeit normalen monatlichen Durchschnittstemperatur von 0,6 °C leiten im Dezember 1921 den Winter ein.

1922

Freitag 8. Dezember

 Technik

New Yorks Energieversorgungspläne sind die Aufmacher der amerikanischen Zeitungen. Der größten Stadt der Welt geht trotz des Baus eines Dampfkraftwerkes in Brooklyn in absehbarer Zeit der Strom aus. Kühne Pläne setzt die Stadtverwaltung nun dagegen. Über 500 km will sie Strom, der an den Niagarafällen produziert wird, in die Metropole leiten lassen.

Am Morgen sind die Telefone in Deutschland tot. Schneefälle haben die Überlandmasten umgerissen. Die Post reagiert mit einem Masseneinsatz, der viele Ämter leerfegt. 35 000 Beamte sind im Einsatz.

 Politik

Einen radikalen Wandel der amerikanischen Europapolitik kündigt Präsident Harding an. In einer Rede vor dem neuen Kongreß erinnert der seit 1921 amtierende Präsident die Europäer an ihre eigenen Kräfte, mit denen sie ihre Probleme lösen sollen. Amerika habe seine eigenen Sorgen.

 Wetter

Das Jahr 1922 endet mit relativ angenehmem Dezemberwetter. Das Thermometer hält sich im Durchschnitt bei 2,6 °C auf. Die Niederschläge liegen mit 56 mm etwas höher als der langjährige Mittelwert (41 mm).

Samstag 8. Dezember

Kultur

Bertolt Brechts erstes Bühnenstück, der 1918 geschriebene »Baal«, erlebt im Alten Theater Leipzig seine erste und vorerst letzte Aufführung. Nach heftiger Kritik muß es der Oberbürgermeister sofort vom Spielplan nehmen. Brecht erzählt die Geschichte eines Studenten, der keine Lust hat, sich für die totgeweihte und verfallende kapitalistische Gesellschaft einzusetzen, und sich dem »asozialen Lotterleben« – so die Kritik – hingibt.

Politik

Duisburger Arbeitslose verlieren ab sofort ihre Stütze. Weil in der Ruhrgebietsstadt jeder zweite arbeitslos ist, hat die Reichsregierung alle Zahlungen gesperrt. Der Verfall der Wirtschaftskraft hat ungeheure Ausmaße angenommen. Die Arbeitslosenzahl ist um 30% gestiegen. Die Inflation ist praktisch nicht mehr meßbar. Mieten werden alle zwei Wochen neu festgelegt – viel zu selten für die galoppierende Geldentwertung.

Wetter

Die Temperaturen sinken im Dezember 1923 auf Werte um –2,2 °C. Der langjährige Mittelwert für diesen Monat liegt bei 0,7 °C. Die Jahreswende wird von Frost und Schneefall begleitet.

1924

Montag 8. Dezember

 Kultur

Igor Strawinsky am Klavier erleben die Berliner Zuschauer bei der deutschen Erstaufführung des »Concerto für Klavier und Blasinstrumente« des russischen Komponisten. Bereits bei der Welt-Uraufführung in Paris vor einigen Monaten hat sich der Komponist selbst an die Tasten gesetzt. In Berlin läßt sich Dirigent Wilhelm Furtwängler die Ehre nicht nehmen, den Stock für Strawinsky zu schwingen.

 Politik

Probleme bei der Regierungsbildung gibt es nach den gestrigen Reichstagswahlen. Die SPD verweigert eine Koalition mit der rechten Deutschen Volkspartei. Die andere Mehrheitslösung einer Mitte-Rechts-Koalition unter Einschluß der Deutschnationalen Volkspartei wird heute von mehreren Zentrumsabgeordneten kritisiert. Erst nach weiteren fünfwöchigen Verhandlungen steht diese Regierung Mitte Januar. Sie wird von dem parteilosen Hans Luther als Kanzler angeführt.

 Wetter

Etwas milder als gewöhnlich (Durchschnittstemperatur 1,6 °C) ist das Wetter im Dezember 1924. Es bleibt mit 19 mm fast niederschlagsfrei.

1925

Dienstag 8. Dezember

Politik

Irlands Spaltung besiegelt der Grenzvertrag zwischen Großbritannien und dem irischen Freistaat. Der Grenzverlauf zwischen Nordirland, das unter britischer Kontrolle steht, und dem seit 1922 unabhängigen Süden war umstritten. Gegen den Vertrag, der nochmals die Abtrennung des Nordens festschreibt, protestieren die IRA und die irische Nationalistenpartei Sinn Féin. Für Jahrzehnte bestimmt nun der Bürgerkrieg zwischen Katholiken und Protestanten die Geschicke Nordirlands.

Politik

Die weltweite Aufrüstung brandmarkt der US-Präsident Collidge in einer Kongreßrede. Amerika ist in der Abrüstung sehr aktiv. Das Washingtoner Flottenabkommen 1922 war der erste internationale Vertrag über Rüstungsbegrenzung.

Wetter

Preise in den 20er Jahren	
1 kg Butter	3,60
1 kg Mehl	0,50
1 kg Fleisch	2,50
1 Ei	0,20
10 kg Kartoffeln	0,80
Stundenlohn	0,93

in RM, Stand 1926
(ohne Inflationsjahre)

Häufige Niederschläge bei Temperaturen um den Gefrierpunkt bestimmen den Dezember 1925. Während der langjährige Mittelwert bei 41 mm liegt, fallen in diesem Dezember 68 mm Niederschläge.

41

1926

 Kultur

Schweren Schaden nimmt durch einen Brand der Königspalast in Bukarest. Das Hauptgebäude mit dem Thronsaal und den reich ausgestatteten Empfangsräumen wird ein Opfer der Flammen. Als Ersatz für die Residenz aus dem letzten Jahrhundert läßt König Karl I. 1930 bis 1937 ein neues Königsschloß im neoklassizistischen Stil errichten.

 Politik

Für ihren Machterhalt traf die ungarische Regierung bei den heutigen Wahlen Vorsorge. Die regierende Bauernpartei verhinderte in

Tiefe Taille und schmale Silhouette: Mode im Zeichen des Art déco

der Mehrzahl der Wahlbezirke, die jeweils einen Abgeordneten ins Parlament entsenden, daß sich die oppositionellen Parteien zur Wahl anmelden konnten. »Reichsverweser« Mikloš Horthy herrscht seit 1919 wie ein Diktator.

 Wetter

Recht mild präsentiert sich der Dezember 1926. Die Temperaturen bewegen sich um 1,8 °C, während der langjährige Durchschnittswert für Dezember bei 0,7 °C liegt.

1927

Donnerstag 8. Dezember

Politik

120 000 Kriegsdienstverweigerer in Großbritannien haben sich auf einer Liste eingeschrieben, die heute an Premierminister Baldwin geht. Der Schock des Ersten Weltkriegs mit seinen 8,5 Millionen Gefallenen hat den Pazifismus weltweit gestärkt. Im Vorjahr hat sich der Deutsche Pazifistenkongreß für eine deutsch-britische Versöhnung ausgesprochen. Einer der prominentesten deutschen Pazifisten ist der Nobelpreisträger Albert Einstein, der sich seit 1923 für die Gewaltlosigkeit einsetzt.

Vornehm und doch lässig: Burberry aus imprägniertem Baumwollstoff

Kultur

Fatale Kritiken füllen die Leipziger Zeitungen zur gestrigen Aufführung des »Hamlet«. Literaturnobelpreisträger Gerhart Hauptmann hat den Shakespeare-Stoff umgeschrieben – und nicht gerade verbessert, wie die Rezensenten sagen.

Wetter

Tiefsttemperaturen unter −3 °C zeigt das Thermometer im Dezember 1927 an. Ein klirrend kalter Winter steht bevor.

Samstag 8. Dezember

 Kultur

**Stars der
20er Jahre**

Buster Keaton
Filmschauspieler
Johnny Weissmuller
Schwimmer
Rudolph Valentino
Filmschauspieler
Joséphine Baker
Tänzerin
Charles Lindbergh
Flieger

Die amerikanische Filmlandschaft verändert sich durch die nun publik werdenden Aufkäufe von Produktionsfirmen, Verleihern und Kinos durch die Radio Corporation of Amerika. Der Konzern gehört zum Imperium der Rockefellers. Ende des Jahres hat sich durch verschiedene Fusionen die RKO Radio Pictures Incorporated gebildet – für 20 Jahre einer der fünf größten Filmkonzerne der USA. Die Aufkäufe beruhen auf einer einfachen Spekulation: Die fertige, einsatzfähige Technologie für Tonfilme wird dem Kino einen riesigen Aufschwung geben und zum Unterhaltungsmedium Nr. 1 erheben. Landesweit hat der erste Ganztonfilm »Lights of New York« 1928 für Begeisterung gesorgt. Die Erwartung geht auf. Die RKO-Kinos, in denen Tonfilme laufen, sind ständig ausverkauft. Der Trend setzt sich rasch durch und 1929 sind 50% der über 20 000 Kinos in den USA »tonfähig«.

 Wetter

Mit durchschnittlich –0,6 °C kündigt sich im Dezember 1928 ein milderer Winter an als im Vorjahr.

1929

Sonntag 8. Dezember

Politik

Einen tiefen Einschnitt für die Weimarer Republik bedeuten die Landtagswahlen in Thüringen. Mit jetzt sechs Mandaten verdreifachen die Nationalsozialisten ihre politische Kraft im Landtag. Die bürgerlichen Parteien einigen sich mit den Nazis auf eine Regierungsbildung gegen die linken Kräfte SPD und KPD. Noch immer hoffen die Politiker der Mitte, daß die Nazis nur »böse tun«, um durch ihre Radikalität Stimmen zu fangen, daß man mit ihnen aber »normale« Politik machen kann. Im Januar 1930 wird Wilhelm Frick als erster Landesminister der NSDAP vereidigt – genau drei Jahre bevor Hitlers Diktatur beginnt.

Sport

Deutschlands Fußballteam feiert in Berlin das bisher erfolgreichste Jahr in der deutschen Fußballgeschichte. Die Schweiz, Italien, Schweden und Finnland wurden geschlagen. Nur die Schotten erreichten ein Unentschieden.

Wetter

Zum ersten Mal seit Jahren klettert die Durchschnittstemperatur im Dezember 1929 über 3 °C. Das milde Wetter wird von reichlichen Niederschlägen begleitet.

1930-1939

Highlights des Jahrzehnts

1930

- Mahatma Gandhi startet Salzmarsch
- Marlene Dietrich avanciert im Film »Der Blaue Engel« zum Weltstar
- Uruguay wird erster Fußballweltmeister
- Max Schmeling durch Disqualifikationssieg Boxweltmeister im Schwergewicht

1931

- Spanien wird Republik
- Vorführung des Ganzmetallflugzeugs »Ju 52« (»Tante Ju«)
- Empire State Building höchstes Gebäude der Welt
- Mafia-Boß Al Capone hinter Gittern

1932

- Staatsstreich in Preußen
- Wahlsieg der NSDAP
- Chaco-Krieg um Erdöl zwischen Bolivien und Paraguay
- Proklamation des Staates Saudi-Arabien

1933

- Adolf Hitler zum Reichskanzler ernannt
- Reichstagsbrand in Berlin
- Ermächtigungsgesetz in Kraft
- Deutsche Studenten verbrennen »undeutsche« Literatur

1934

- Nationalsozialistischer Volksgerichtshof gegründet
- »Röhm-Putsch« niedergeschlagen
- Mord an Bundeskanzler Dollfuß – Ende der 1. Republik Österreich
- Maos Kommunisten in China auf dem »Langen Marsch«

1935

- Judenverfolgung mit sog. Nürnberger Gesetzen
- Italien marschiert in Äthiopien ein
- Porsche baut Prototyp für VW »Käfer«
- Deutsch-britisches Flottenabkommen

1936

- Beginn des Spanischen Bürgerkriegs
- Volksfrontregierung in Frankreich
- Ausstellung »Entartete Kunst«
- XI. Olympische Spiele in Berlin zur NS-Propaganda genutzt
- Margaret Mitchell veröffentlicht »Vom Winde verweht«
- Schauprozesse in der UdSSR

1937

- Krieg zwischen Japan und China
- Georg VI. in London gekrönt
- Zeppelin LZ »Hindenburg« explodiert in Lakehurst
- Niederländische Kronprinzessin Juliana heiratet Prinz Bernhard

1938

- »Anschluß« Österreichs ans Deutsche Reich
- Münchner Abkommen soll Hitler bezähmen
- Terror gegen Juden in der »Reichskristallnacht«
- Otto Hahn gelingt erste Atomspaltung

1939

- Deutsche Truppen marschieren in Prag ein
- Hitler-Stalin-Pakt
- Beginn des Zweiten Weltkrieges

Gewaltfreiheit als Prinzip: Mahatma Gandhi auf seinem »Salzmarsch« (1930)

1930

Montag 8. Dezember

 Politik

Die deutsche Kolonialbewegung, zusammengefaßt in der Kolonialgesellschaft in Berlin, hat ein neues Oberhaupt. Die Delegierten wählen Heinrich Schnee zum neuen Präsidenten. Schnee fordert in seiner Rede die Rückgabe aller deutschen Kolonien, die 1918/19 ausnahmslos an den Völkerbund bzw. Briten und Franzosen gegangen sind. Er selbst war im Kaiserreich zunächst Kolonialminister, ab 1912 Gouverneur in Deutsch-Ostafrika.

 Politik

Bei einem Anschlag in Britisch-Indien stirbt ein britischer Offizier. Mahatma Gandhi und die Anhänger des gewaltlosen Widerstandes gegen den britischen Imperialismus sind über den Mord entsetzt. Gandhi und seine Anhänger erreichen 1948 die indische Unabhängigkeit.

 Wetter

Trockenheit und niedrigere Temperaturen kennzeichnen den Dezember 1930. Bei durchschnittlich 0,6 °C fallen nur 13 mm Niederschläge, während gewöhnlich 41 mm zu erwarten sind.

Rekorde in den 30er Jahren

200 m: J. Carlton (AUS) – 20,6 sec (1932)
Weitsprung: Jesse Owens (USA) – 8,13 m (1935)
Weitsprung: Erika Junghans (GER) – 6,07 m (1939)
400 m: Rudolf Harbig (GER) – 46,0 sec (1939)

1931

Dienstag 8. Dezember

Jede Hilfe für Arbeitslose lehnt der amerikanische Präsident Hoover ab. Er ist einer der reinsten Verfechter der amerikanischen Idee, daß die Wirtschaft am besten funktioniert, wenn der Staat sich aus ihr heraushält. Er hält die 1929 ausgebrochene Weltwirtschaftskrise noch für »vorübergehend«. Mittlerweile sind in Amerika schon acht Millionen Menschen ohne Arbeit, mehr als doppelt soviel, wie im Vorjahr. Der Höchststand wird 1933 mit 12,8 Millionen erreicht. Dies entspricht einer Arbeitslosenquote von 25 %.

Politik

Politische Uniformen dürfen nicht mehr öffentlich getragen werden. Mit dieser Anordnung will Reichskanzler Brüning die ständigen Straßenschlachten zwischen Nazis, Kommunisten und dem republikanischen »Reichsbanner« verhindern, bei denen sich regelrechte paramilitärische Verbände gegenüberstehen.

Wetter

Recht durchschnittlich ist der Dezember in diesem Jahr. Die Temperaturen bewegen sich um 1,1 °C. Der langjährige Mittelwert für den Monat liegt mit 0,7 °C nur etwas niedriger.

49

Donnerstag 8. Dezember

 Kultur

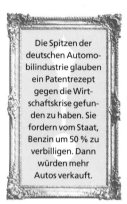

Die Spitzen der deutschen Automobilindustrie glauben ein Patentrezept gegen die Wirtschaftskrise gefunden zu haben. Sie fordern vom Staat, Benzin um 50 % zu verbilligen. Dann würden mehr Autos verkauft.

Einer der großen Kinoerfolge der 30er Jahre in Deutschland läuft in Berlin an. Schon die Premiere von »Abenteuer im Engadin« ist ausverkauft. Der Film von Max Obal hat zwar eine ziemlich schlichte Handlung – Frau tarnt sich als Mann, um an Skiwettbewerben teilzunehmen –, wird aber wegen der rasanten Kamera und der Musik ein Hit. Kein geringerer als Paul Dessau komponiert die musikalische Untermalung der Bilder.

 Politik

Hitler gewinnt den Machtkampf in der NSDAP gegen Gregor Strasser, der die Partei verlassen muß. Strasser vertritt den »linken« Parteiflügel und wollte auch eine Koalition unter einem bürgerlichen Kanzler eingehen.

☀ *Wetter*

Erheblich weniger Niederschlag als in den Vorjahren fällt im Dezember 1932. Der langjährige Mittelwert liegt bei 41 mm. In diesem Jahr geben die Wolken aber nur 8 mm ab.

1933

Freitag 8. Dezember

Gesellschaft

Bei der Heiligsprechung der 1879 verstorbenen Bernadette Soubirous in Rom sind 20 000 Pilger anwesend. Die »Seherin von Lourdes« hatte in der berühmten Grotte von Massabielle 1858 als 14jährige ihre erste Marienerscheinung. Der Ort am Nordrand der Pyrenäen wurde zum Wallfahrtsort und durch Wunderheilungen bekannt.

Gesellschaft

Ein schwerer Skandal in Bayern endet mit dem Rücktritt des Staatssekretärs im Wirtschaftsministerium, Georg Luber. Er hat nachweislich einen ganzen Erbhof als Geschenk der Kreisbauernschaft Schwaben angenommen.

Gesellschaft

Evangelische Geistliche in Deutschland müssen ab sofort ihre Kirchenbehörden bei Heiratsplänen um Erlaubnis fragen.

Wetter

Frostige Kälte beschert der Dezember 1933. Mit Temperaturen um –3,3 °C kündigt sich ein harter Winter an. Für eine weiße Weihnacht reichen die minimalen Niederschläge jedoch nicht.

Politik

Mit dem Stapellauf des Kreuzers »Nürnberg« bricht Hitler offen den Versailler Friedensvertrag von 1919, der den Ersten Weltkrieg offiziell beendete. Er erlaubt der deutschen Marine keine schweren Überwasserschiffe. Die unkommentierte Verletzung der Rüstungsbegrenzung bleibt für Deutschland folgenlos. Frankreich und Großbritannien verfolgen gegenüber dem Hitlerregime bis 1939 einen ausgesprochenen Kompromißkurs, in der Hoffnung, einem Krieg zu entgehen.

 Gesellschaft

Ein voller Erfolg ist die Sammlung für das Winterhilfswerk am »Tag der nationalen Solidarität«. Die NS-Propaganda verkündet, daß 3,5 Mio. Reichsmark an Spenden gesammelt worden sind.

Figurbetonte Eleganz in den 30er Jahren: Kostüm aus Wollstoff mit Lederpaspeln

 Wetter

Fast frühlingshafte Temperaturen beherrschen 1934 zum ersten Mal seit Jahren den Dezember. Das Thermometer zeigt sensationelle Werte um 4,4 °C. Außerdem fallen erheblich weniger Niederschläge als in den Vorjahren.

1935

Sonntag 8. Dezember

Sport

Erster Sieger des Fußball-Vereins-pokals ist der 1. FC Nürnberg. Im Finale dieses erstmalig ausgetragenen deutschen Pokals besiegen die Nürnberger in Düsseldorf Schalke mit 2:0. Das spannende Spiel sehen 55 000 begeisterte Zuschauer.

Sport

Der Herr liebt es eher klassisch: Sommersakko aus hellem Fischgrät

Die amerikanischen Sportvereinigungen der Boxer, Ringer und Leichtathleten werden 1936 an den Olympischen Spielen in Berlin teilnehmen. Damit erlebt die internationale Boykottbewegung gegen die Abhaltung der Spiele in Hitlerdeutschland eine entscheidende Niederlage. Das NS-Regime selbst kämpft gegen den Boykott mit harten Bandagen. In 44 ausländischen Städten machen deutsche Büros Propaganda für das »neue schöne Deutschland« und diffamieren die Initiatoren der internationalen Boykottbewegung.

Wetter

Feucht und kühl ist der Dezember 1935. Die Durchschnittstemperatur liegt bei 0,8 °C. Häufig vertreiben dicke Wolken die Sonne.

Dienstag 8. Dezember

 Politik

In Berlin endet eine 17tägige Großaktion zur Rattenbekämpfung. Die Polizei feiert den Erfolg und gibt bekannt, daß 65 Millionen Ratten täglich deutsche Nahrungsmittel im Wert von 1,3 Mio. RM vernichten.

Die Ausreise nach Oslo zur Entgegennahme des Friedensnobelpreises wird dem Publizisten Carl von Ossietzky von den Nazis verboten. Der frühere Herausgeber der linksintellektuellen »Weltbühne« sitzt im KZ Papenburg-Esterwegen ein. Ossietzky stirbt 1938 an einer Tuberkulose, die auf die Entkräftung durch die Mißhandlungen und die Unterversorgung im KZ zurückgeht. Hitler ist über den »Fall Ossietzky«, der das Ansehen der Nazis in Mißkredit gebracht hat, so erbost, daß er allen Deutschen die Annahme von Nobelpreisen untersagt.

 Politik

Gegen Radikale macht die Schweiz mit einem neuen Gesetz mobil, das alle Aufrufe zu Umstürzen mit Strafen belegt. Besonders die Kommunisten werden durch die Bestimmungen getroffen.

 Wetter

Ein relativ milder Winter kündigt sich mit einer Durchschnittstemperatur von 1,9 °C im Dezember 1936 an (langjähriges Mittel 0,7 °C).

Mittwoch 8. Dezember

Gesellschaft

Die erste Ausstellung »sudetendeutscher Kunst« öffnet in Berlin ihre Tore. Als »Sudetendeutsche« bezeichnet die NS-Führung alle Deutschen, die in den grenznahen Gebieten der Tschechoslowakei liegen. Die Ausstellung und andere Veranstaltungen sollen in der deutschen Bevölkerung Verbundenheit mit den »Sudetendeutschen« aufbauen. Längst ist der Plan fertig, diese Gebiete mit Gewalt »heim ins Reich« zu holen. Nachdem dies 1938 gelungen ist, schluckt Hitlerdeutschland 1939 die gesamte Tschechoslowakei.

Technik

Offizielle deutsche Stellen bestätigen die »Freiheit der Forschung« in den Naturwissenschaften. Damit soll die politische Hörigkeit vieler Forscher gebremst werden, die mittlerweile in exakten Wissenschaften krude Ergebnisse veröffentlichen. Versuche, »rassische Gesetze« in der Physik oder Chemie aufzustellen, drohen die deutsche Forschung zurückzuwerfen.

Wetter

Mit frostigen Temperaturen um −0,6 °C (langjähriger Mittelwert 0,7 °C) und gelegentlichen Niederschlägen präsentiert sich der Dezember 1937.

1938

Donnerstag 8. Dezember

Technik

Der erste deutsche Flugzeugträger, die »Graf Zeppelin«, läuft in Kiel vom Stapel. Das 19 000-t-Schiff ist der Beginn eines immensen Flottenrüstungsprogramms, des »Z-Plans«. Er sieht vor, daß Deutschland bis 1945 mit 8 Flugzeugträgern, 10 Schlachtschiffen, 65 Kreuzern und 249 U-Booten über eine der größten Flotten der Welt verfügt. Hitler und die Militärs planen den Kriegsausbruch ursprünglich erst für die 2. Hälfte der vierziger Jahre.

Sport

Alle Sportbeziehungen zu den Niederlanden beendet das Deutsche Reich. Anlaß ist die Absage Rotterdams für ein geplantes Länderspiel. Der Bürgermeister von Rotterdam protestiert damit gegen die Judenpogrome in der »Reichskristallnacht«.

Preise in den 30er Jahren

1 kg Butter	2,96
1 kg Mehl	0,47
1 kg Fleisch	1,60
1 l Vollmilch	0,23
1 Ei	0,10
10 kg Kartoffeln	0,90
1 kg Kaffee	5,33
Stundenlohn	0,78

in RM, Stand 1934

Wetter

Unangenehm kalt mit häufigen Niederschlägen zeigt sich der Dezember 1938. Die Durchschnittstemperatur sinkt auf −1,5 °C und liegt damit weit unter dem langjährigen Mittelwert von 0,7 °C.

Freitag 8. Dezember

Gesellschaft

Arbeit am Feiertag Mariä Empfängnis verweigern viele deutsche Katholiken. Die Reichsführung hat verlangt, daß alle kriegswichtigen Betriebe heute ganz normal weiterarbeiten sollen, weil das Deutsche Reich im September den Zweiten Weltkrieg ausgelöst hat.

Technik

Der Adolf-Hitler-Kanal ist fertiggestellt. Mit seinen 41 km Länge verbindet er das oberschlesische Industrierevier mit der Oder und damit mit den Häfen an der Ostsee. Gleichzeitig mit der Einweihung erfolgt der Spatenstich für den geplanten Oder-Donau-Kanal, der auf 320 km Länge geplant ist. Er soll 1945 fertig sein, doch wird der Bau wegen des Krieges eingestellt.

Stars der 30er Jahre

Louis Armstrong
Trompeter
Marlene Dietrich
Filmschauspielerin
Greta Garbo
Filmschauspielerin
Fred Astaire
Tänzer/Schauspieler
Sonja Henie
Eiskunstläuferin

Wetter

Wie im Vorjahr beginnt der Winter mit relativ frostigen Temperaturen. Im Dezember 1939 sinkt das Thermometer auf einen Durchschnittswert von −1,3 °C. Die ergiebigen Niederschläge fallen überwiegend als Schnee.

1940-1949

Highlights des Jahrzehnts

.... 1940 ....

Deutscher Luftkrieg gegen Großbritannien

Beginn der Westoffensive

Winston Churchill neuer britischer Premierminister

.... 1941 ....

Schottlandflug von Rudolf Heß

Deutscher Überfall auf die Sowjetunion

Japan greift Pearl Harbor an – Kriegseintritt der USA

»Citizen Kane« von Orson Welles in den Kinos

.... 1942 ....

Wannsee-Konferenz beschließt Judenvernichtung

6. Armee in Stalingrad eingeschlossen

Beginn alliierter Luftangriffe auf deutsche Städte

»Casablanca« mit Ingrid Bergman und Humphrey Bogart uraufgeführt

.... 1943 ....

Goebbels propagiert den »totalen Krieg«

Ende der Widerstandsgruppe »Weiße Rose«

Aufstand im Warschauer Ghetto scheitert

.... 1944 ....

Alliierte landen in der Normandie

Stauffenberg-Attentat auf Hitler scheitert

Charles de Gaulle wird Staatschef Frankreichs

US-Präsident Franklin D. Roosevelt zum dritten Mal wiedergewählt

.... 1945 ....

• KZ Auschwitz befreit
• Bedingungslose Kapitulation Deutschlands
• Vereinte Nationen gegründet
• Beginn der Potsdamer Konferenz
• US-Atombomben zerstören Hiroshima und Nagasaki

.... 1946 ....

• Gründung der SED
• Nürnberger NS-Prozesse
• US-Atombombentests im Südpazifik
• Hilfe durch Care-Pakete aus den USA
• Französischer Kolonialkrieg in Vietnam

.... 1947 ....

• Marshallplan-Hilfe für Europa
• Indien feiert Unabhängigkeit von Großbritannien
• GATT regelt den Welthandel
• Thor Heyerdahls »Kon-Tiki«-Expedition erfolgreich

.... 1948 ....

• Mahatma Gandhi ermordet
• Währungsreform in Ost und West
• UdSSR verhängt Berlin-Blockade
• Staatsgründung Israels
• Korea gespalten
• UNO-Menschenrechtsdeklaration

.... 1949 ....

• Gründung der NATO
• Grundgesetz für die Bundesrepublik Deutschland verkündet
• Konrad Adenauer erster Bundeskanzler
• Proklamation der Deutschen Demokratischen Republik
• Chinesische Revolution

7. Mai 1945: Ganz New York feiert das Kriegsende in Europa

Sonntag 8. Dezember

 Gesellschaft

Zum 50. Mal strahlt der Berliner Reichssender das »Wunschkonzert für die Wehrmacht« aus. Jeden Sonntagnachmittag seit Ausbruch des Zweiten Weltkrieges geht das Wunschkonzert um 15.00 Uhr auf Sendung. Seine Konzeption soll nach dem Willen der NS-Reichsführung »Front und Heimat« verbinden: Menschen in Deutschland und Soldaten an den Fronten können ihre Musikwünsche äußern. Ähnliche Sendungen gibt es auch in Großbritannien. Das größte Unterhaltungsprogramm für Soldaten ziehen die USA nach 1941 auf.

 Politik

Ein Brief Churchills an US-Präsident Roosevelt führt zu schneller Hilfe. Der britische Premierminister schreibt über die katastrophale Finanzlage des Landes. Neun Tage später kündigt Roosevelt das Pacht- und Leihgesetz an, durch das die offiziell neutralen USA Großbritannien helfen können.

 Wetter

Unangenehm kalt ist das Wetter im Dezember 1940. Es läßt einen weiteren harten Kriegswinter befürchten. Die Durchschnittstemperatur liegt bei –2,2 °C. Häufige Niederschläge sorgen für reichlich Schnee.

1941

Montag 8. Dezember

Politik

Endgültig zum Weltkrieg wird die seit 1939 in Europa und Nordafrika tobende Auseinandersetzung durch die gegenseitigen Kriegserklärungen von USA und Japan. Gestern haben japanische Kampfflieger die amerikanische Pazifikflotte in Pearl Harbor versenkt. Am 10. Dezember erklärt auch Hitler den USA den Krieg. Deutschland ist mit Japan verbündet.

Politik

Deutschlands Feldzug im Osten ist vor Moskau gescheitert. Die seit vier Tagen laufende sowjetische Gegenoffensive zwingt Hitler heute zu einem Rückzugsbefehl. Er wollte im Juni, bei Beginn des Rußlandfeldzuges, die UdSSR binnen sechs Wochen schlagen.

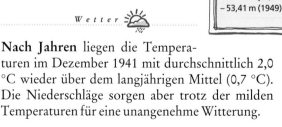

Rekorde in den 40er Jahren

5000 m: G. Hägg (SWE) – 13:58,2 min (1942)
Hochsprung: Fanny Blankers-Koen (HOL) – 1,71 m (1943)
Marathon: Suh Yun Bok (KOR) – 2:25:39 h (1947)
Speerwerfen: Natalia Smirnizkaja (URS) – 53,41 m (1949)

Wetter

Nach Jahren liegen die Temperaturen im Dezember 1941 mit durchschnittlich 2,0 °C wieder über dem langjährigen Mittel (0,7 °C). Die Niederschläge sorgen aber trotz der milden Temperaturen für eine unangenehme Witterung.

1942

Dienstag 8. Dezember

 Kultur

Gleich zwei große Premieren an einem Tag erlebt Paris heute. An der Comédie Française läuft das Drama »Die tote Königin« von Henry de Montherlant an. Es spielt mit aufwendiger und gefälliger Kostümierung am portugiesischen Königshof des 14. Jahrhunderts. Schwere Kost bietet dagegen das Théâtre de l'Atelier, das erstmals »Eurydike« von Jean Anouilh bringt.

 Politik

Gegen die Fesselung von Gefangenen auf der deutschen wie auf der britischen und kanadischen Seite protestiert die Schweiz. Die Fesselungen sind als Repressalien angeordnet worden, um Offiziere zum Sprechen zu bringen. Großbritannien und Kanada müssen unter öffentlichem Druck die Fesselung verbieten, das Deutsche Reich macht keine Zusagen. Das Schicksal der russischen Kriegsgefangenen, die zu Millionen in deutschen Lagern verhungern, wird international verschwiegen.

 Wetter

Strahlender Sonnenschein bringt im Dezember 1942 milde Temperaturen um 2,9 °C. Es werden nur 27 mm Niederschläge gemessen; der langjährige Mittelwert für Dezember liegt bei 41 mm.

1943

Mittwoch 8. Dezember

Politik

Ihre Neutralität bekräftigt die Türkei gegenüber der deutschen Botschaft in Ankara. Das Land am Bosporus will deutsche Befürchtungen zerstreuen, denn vom 3. bis zum 6. Dezember hat die türkische Regierung mit dem britischen Premierminister Winston Churchill und US-Präsident Roosevelt Gespräche geführt. Die Kriegsgegner des Deutschen Reiches bedrängen die Türken, in den Krieg einzutreten. Im Ersten Weltkrieg hat der türkische »Vorgängerstaat«, das Osmanische Reich, zusammen mit Deutschland gekämpft und verloren. Die Türken sind nun entschlossen, sich aus dem Krieg rauszuhalten.

Preise in den 40er Jahren	
1 kg Butter	3,50
1 kg Mehl	0,45
1 kg Fleisch	1,60
1 l Vollmilch	0,26
1 Ei	0,12
10 kg Kartoffeln	1,00
1 kg Zucker	0,76
Stundenlohn	0,81
in RM, Stand 1943	

Gesellschaft

Die Weimarer Kriegstagung der deutschen Presse endet. Hier wurden die Journalisten auf Endsieg-Parolen eingeschworen.

Wetter

Bei Temperaturen um den Gefrierpunkt fallen im Dezember 1943 wenig Niederschläge (24 mm).

Freitag 8. Dezember

 Politik

Der letzte Farbfilm, der zu Zeiten des Hitlerregimes entsteht, kommt in die Kinos. Er trägt den sinnfälligen Titel »Opfergang«. Der verantwortliche Zensor in der Reichsfilmkammer, der den Titel der Dreieckstragödie durchgehen ließ, wird von Propagandaminister Joseph Goebbels entlassen.

50 deutsche Generäle, die in sowjetischer Kriegsgefangenschaft sind, haben eine Proklamation an das deutsche Volk unterschrieben, in der sie zum Sturz Hitlers aufrufen. Die Initiative geht vom »Nationalkomitee Freies Deutschland« aus, einem 1943 entstandenen Zusammenschluß zur Beendigung des Krieges. Prominentester Unterzeichner ist Generalfeldmarschall Paulus, der Oberkommandierende der 6. Armee, die in Stalingrad kapituliert hat.

 Politik

Sowjetische Truppen beginnen eine Großoffensive zur Einkesselung Budapests. Am 10. Februar 1945 kapitulieren die deutschen Truppen in der ungarischen Hauptstadt.

 Wetter

Trotz vieler Sonnentage und geringer Niederschläge bleiben die Temperaturen im Dezember 1944 zu niedrig für die Jahreszeit. Das Thermometer erreicht Werte um $-1,8\,°C$, während das langjährige Mittel für Dezember bei $0,7\,°C$ liegt.

1945

Politik

Köln hat wieder einen Oberbürgermeister: Die britische Militärregierung beruft heute Hermann Pünder auf den Posten. Er ist »freigeworden«, weil die britische Besatzungsmacht den am 4. Mai eingesetzten Konrad Adenauer entlassen hat. Nach Meinung der Briten hat Adenauer sich seit der Befreiung von den Nazis nicht genügend um Aufräumarbeiten in der stark zerstörten Domstadt gekümmert, dafür zuviel um die große Politik.

Politik

Ein massiver Truppenabbau der USA in Deutschland steht bevor. General McNarney gibt bekannt, Amerika werde bis Juni 1946 von den jetzt 700 000 Amerikanern 330 000 nach Hause schicken. Die Aufgaben der Armee sind seit der deutschen Kapitulation im Mai 1945 im wesentlichen erledigt. Auch die anderen Besatzungsmächte Frankreich, Großbritannien und selbst die UdSSR bauen ihre aktiven Truppen ab.

Wetter

Mit einem relativ milden Dezember geht das Jahr 1945 zu Ende. Die Temperaturen ergeben einen Durchschnitt von 1,4 °C. Damit ist es wärmer als in den vergangenen Jahren.

Sonntag 8. Dezember

 Politik

Eigene Wege in der Deutschlandpolitik geht Frankreich, das sein Desinteresse gegenüber der britisch-amerikanischen Ankündigung eines Zonenzusammenschlusses bekundet. Diese Bizone soll zwar offiziell Wirtschaftsprobleme lösen, ist aber auch die Keimzelle eines westdeutschen Staates. Frankreich hat kein Interesse an einem neuen deutschen Staat; es strebt noch einen Zerfall Deutschlands in kleinere, ungefährliche »Mittelstaaten« an. Frankreich hat in den letzten 75 Jahren drei Kriege gegen Deutschland überstehen müssen. Im April 1949 hat Frankreich umgedacht. Die Trizone entsteht, aus der im Mai die BRD hervorgeht. Völlig eigene Wege geht auch die UdSSR. Sie erklärt zwar immer wieder vollmundig, an der Einheit Deutschlands festhalten zu wollen, installiert aber ein kommunistisches System in Ostdeutschland.

Stars der 40er Jahre

Humphrey Bogart
Filmschauspieler
John Wayne
Filmschauspieler
Katharine Hepburn
Filmschauspielerin
Hans Albers
Filmschauspieler
Joe Louis
Boxer

 Wetter

Bei häufig klarem Himmel ist der Dezember 1946 unangenehm kalt. Die Durchschnittstemperatur liegt mit –2,2 °C weit unter den Vorjahreswerten.

1947

Montag 8. Dezember

Deutsche Industrielle stehen in Nürnberg vor einem amerikanischen Militärgericht und müssen sich wegen ihrer »kriegstreiberischen Politik« und »Verbrechen gegen die Menschlichkeit« verantworten. Das Hauptinteresse gilt Kruppchef Alfried Krupp von Bohlen und elf seiner Direktoren. Bis auf einen werden sie zu Haftstrafen zwischen zwei und zwölf Jahren verurteilt. Krupp und zahlreiche andere deutsche Firmen haben sich aktiv an der Plünderung in den deutsch besetzten Gebieten Europas beteiligt und Zwangsarbeiter beschäftigt.

Gesellschaft

Amerikaner beschenken Europa: Die Spendenfreudigkeit der US-Bevölkerung wird in Europa mit Staunen registriert. Aus dem mit Abstand reichsten Land der Welt treffen nach heute veröffentlichten Berichten jeden Tag 100 000 Pakete mit Weihnachtsgeschenken für die notleidenden Menschen Europas ein.

Wetter

Wesentlich milder als im vergangenen Jahr beginnt 1947 der Winter. Im Dezember erreichen die Temperaturen im Durchschnitt 1,8 °C und bleiben damit über dem langjährigen Mittelwert (0,7 °C).

Kultur

Das Extravagante an diesem Sommerkleid: der mit Tapeziernägeln besetzte Gürtel

Eine berühmte englische Königin, Anna Boleyn, läßt Maxwell Anderson mit seinem Schauspiel »Anna, Königin für tausend Tage« auferstehen. Es hat heute in New York seine Uraufführung und findet das ungeteilte Interesse des Publikums. Anna war zunächst die Geliebte, dann ab 1533 die Gattin von Heinrich VIII. Er ließ sie drei Jahre später wie zwei andere seiner Frauen enthaupten. Anderson zeigt ein gefährliches Verständnis für diese Scheidungsvariante, da er Anna als nervtötende Mutter zeichnet, die ihrem Gatten die Zeit stiehlt.

 Politik

Die Islamische Bruderschaft wird in Ägypten verboten. Die Bewegung fanatischer Moslems kämpft gegen »westliche« Einflüsse. Sie tötet am 28. Dezember Ministerpräsident Mahmud Fahmi.

Wetter

Vergleichsweise mild kündigt sich der Winter 1948 an. Die Temperaturen im Dezember erreichen durchschnittlich 1,6 °C.

Donnerstag 8. Dezember

Politik 🌐

Chinas Nationalregierung erreicht Taipeh auf Formosa und errichtet hier ihren neuen Regierungssitz. Der 1945 erneut mit aller Härte ausgebrochene chinesische Bürgerkrieg zwischen Nationalisten und Kommunisten endet zugunsten von Mao Tse-tung. Auf dem Festland entsteht die riesige Volksrepublik China. Die Nationalregierung unter Chiang Kai-shek auf Taiwan sieht sich aber weiterhin als einzig rechtmäßige Regierung an.

Sport 🎾

Das erste Berliner Sechstagerennen nach Kriegsende gewinnen die Italiener Teruzzi/Rigonti. Der Schauspieler Paul Hörbiger hat das Rennen, das seit 1908 ausgetragen wird, am 2. Dezember eröffnet.

Wetter ⛅

Mit Höchsttemperaturen präsentiert sich der Dezember 1949. Im Durchschnitt herrschen frühlingshafte 3,6 °C. Das sind immerhin knapp drei Grad mehr, als das Thermometer im langjährigen Monatsdurchschnitt aufzuweisen hat.

Das Modemagazin »Esquire« stellt diese Abendmode für den Herrn vor

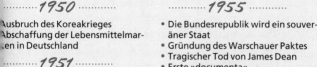

1950-1959

Highlights des Jahrzehnts

1950

Ausbruch des Koreakrieges
Abschaffung der Lebensmittelmarken in Deutschland

1951

Debatte um die Wiederaufrüstung Deutschlands
Skandal um Hildegard Knef als »Sünderin«
Erster Schritt zur europäischen Einigung: Montanunion perfekt
Der persische Schah Mohammed Reza Pahlewi heiratet Soraya

1952

Helgoland wieder unter deutscher Verwaltung
Staatsstreich in Ägypten
DDR riegelt Grenze ab
Dwight D. Eisenhower wird zum 34. US-Präsidenten gewählt
USA zünden Wasserstoffbombe
In Deutschland bricht das Fernsehzeitalter an

1953

Tod des sowjetischen Diktators Josef Stalin
Volksaufstand in der DDR
Elisabeth II. zur Königin von Großbritannien und Nordirland gekrönt
Mount Everest: Höchster Berg der Welt bezwungen

1954

Französische Niederlage in Vietnam
Deutschland wird in Bern Fußballweltmeister
Beginn des Algerienkrieges
Mit »That's alright Mama« beginnt der Aufstieg von Elvis Presley

1955

- Die Bundesrepublik wird ein souveräner Staat
- Gründung des Warschauer Paktes
- Tragischer Tod von James Dean
- Erste »documenta«

1956

- Traumhochzeit von Grace Kelly und Rainier III. von Monaco
- Volksaufstand in Ungarn
- Suezkrise führt zu Nahostkrieg
- Musical »My Fair Lady« beginnt seinen Siegeszug um die Welt

1957

- Gründung der EWG
- »Sputnik-Schock« bildet Auftakt zu Wettlauf im All
- Heinz Rühmann als »Hauptmann von Köpenick« gefeiert
- Erste Massenimpfung gegen Kinderlähmung

1958

- De Gaulle und Adenauer begründen deutsch-französische Freundschaft
- Rock 'n' Roll-Fieber grassiert weltweit
- Pelé – Star der Fußballweltmeisterschaft in Schweden
- Atomium ist Wahrzeichen der Weltausstellung in Brüssel

1959

- Fidel Castro übernimmt die Macht in Kuba
- Hula-Hoop-Welle schwappt aus den USA nach Europa
- Premiere des Marilyn-Monroe-Films »Manche mögen's heiß«
- Erste Bilder von der Rückseite des Mondes

Rock around the clock: Bill Haley (vorn) »erfindet« den Rock 'n' Roll

1950

Freitag 8. Dezember

 Gesellschaft

Fackeln und Feuerwerkskörper künden auf dem Berliner Kurfürstendamm von des Volkes Zorn. Etwa 1000 Menschen laufen vor dem dortigen Theater auf, um gegen einen Auftritt von Werner Krauss zu demonstrieren. Der Schauspieler hat 1940 in dem antisemitischen Hetzfilm »Jud Süß« von Veit Harlan die Hauptrolle gespielt. Jetzt gastiert er mit dem Wiener Hoftheater in Berlin. Die Truppe reist allerdings am 11. Dezember ab, weil sie nur unter Polizeischutz ins Theater kam.

 Politik

Entschlossenheit im Koreakrieg betonen US-Präsident Truman und der britische Premier Attlee. Die »freie Welt« werde den Kampf gegen den Kommunismus fortsetzen. Kommunistische Truppen aus Nordkoera haben den Süden angegriffen, den eine internationale UN-Streitmacht unter Führung der USA verteidigt. Der Waffenstillstand 1953 besiegelt die Teilung des Landes.

Wetter

Kälte und geringe Niederschläge beenden das Jahr 1950. Bei nur 12 Stunden Sonnenschein herrscht trübes Dezemberwetter. Die Temperaturen sinken auf frostige Werte um −1,0 °C.

1951

Samstag 8. Dezember

Sport

DDR-Vertreter lassen einen Termin in Kopenhagen platzen, bei dem das Internationale Olympische Komitee den Streit zwischen Ost- und Westdeutschen über die Olympiateilnahme 1952 schlichten wollte. Eine gesamtdeutsche Mannschaft war geplant, doch zerbrach die Idee an dem politischen Hickhack beider deutscher Staaten. Nun starten 1952 nur westdeutsche Sportler. Erst 1956 kommt eine gesamtdeutsche Mannschaft zustande.

Preise in den 50er Jahren

1 kg Butter	6,75
1 kg Mehl	0,76
1 kg Fleisch	5,01
1 l Vollmilch	0,40
1 Ei	0,23
10 kg Kartoffeln	2,14
1 kg Kaffee	21,40
Stundenlohn	1,96
in DM, Stand 1955	

Kultur

Großes Lob erhält Heinrich Böll von der Zeitung »Die Welt« für seinen ersten Roman »Wo warst Du, Adam?«. In Episoden widmet sich der deutsche Schriftsteller den letzten Monaten des Zweiten Weltkrieges. Böll entwickelt sich zu einem der bedeutendsten deutschen Nachkriegsautoren.

Wetter

Die extrem hohen Temperaturen von 1949 übertrifft der Dezember in diesem Jahr noch. Durchschnittlich 3,7 °C werden gemessen.

Montag 8. Dezember

 Politik

Mangel an Fleisch, Gemüse und Butter führt zur Entlassung des DDR-Handelsministers Hamann durch Ministerpräsident Grotewohl. Hamann ist in der klassischen Rolle des Sündenbocks. An der volkswirtschaftlichen Misere in Ostdeutschland ist nicht er schuld, sondern die Tatsache, daß die DDR Importe von Waffen aus kommunistischen Ländern mit Lebensmitteln bezahlt.

 Gesellschaft

Königin Elisabeth von Großbritannien erteilt die Erlaubnis, ihre Krönung 1953 im Fernsehen zu übertragen. Es ist die erste Live-Übertragung einer britischen Krönung überhaupt. Der Verkauf von Fernsehgeräten im Vereinigten Königreich empfängt dadurch entscheidende Wachstumsimpulse.

Die Freude in der bundesrepublikanischen Damenwelt über einen Coup der Lübecker Zollfahndung hält sich in Grenzen. Ein Schmugglerring für Nylonstrümpfe ist den Häschern ins Netz gegangen. 400 000 Paar der begehrten und leider auch sehr teuren Nylons haben die Schmuggler in den Handel bringen wollen.

 Wetter

Sonnig und trocken, aber kalt ist der Dezember in diesem Jahr. Die Durchschnittstemperatur liegt mit –0,6 °C deutlich unter dem langjährigen Mittelwert von 0,7 °C.

Dienstag 8. Dezember

Politik

Die Kontrolle des Atomtechnologie liegt Amerikas Präsident Eisenhower am Herzen. Vor der UNO-Vollversammlung regt er an, eine Internationale Atomenergiebehörde zu gründen. Diese soll die friedliche Nutzung der Atomenergie fördern, die Verbreitung von Nuklearwaffen hingegen verhindern. 1956 nimmt die Behörde in Wien ihre Arbeit auf. Die UdSSR reagiert auf Eisenhowers Vorschlag zunächst mit der wenig glaubhaften Forderung nach Totalabschaffung von Nuklearwaffen.

Stars der 50er Jahre

Marilyn Monroe
Filmschauspielerin
James Dean
Filmschauspieler
Elvis Presley
Sänger
Sophia Loren
Filmschauspielerin
Brigitte Bardot
Filmschauspielerin

Gesellschaft

Das Marianische Jahr wird von Papst Pius XII. in Rom eröffnet. Es feiert das Dogma von der »unbefleckten Empfängnis«. Allen Katholiken empfiehlt der Papst, in den nächsten zwölf Monaten zu einem Marien-Heiligtum zu pilgern.

Wetter

Mild zeigt sich der Dezember 1953. Auch regnet es viel seltener als gewöhnlich. Das Thermometer schwankt um 2,2 °C.

Mittwoch 8. Dezember

 Politik

Die berühmten weißen Streifen auf Englands Straßen werden »erfunden«. Ein neues Gesetz führt die Parkstreifen am Straßenrand ein, auf denen die britischen Autofahrer ihre Gefährte abstellen können.

Warnend protestiert Nordvietnam gegen die Ankündigung der USA, amerikanische Militärberater zur Ausbildung der südvietnamesischen Armee zu entsenden. Die Teilung Vietnams ist seit Juli Wirklichkeit, als die frühere Kolonialmacht Frankreich gegen die Befreiungskämpfer der Vietminh kapituliert hat. Anstelle der unterlegenen Franzosen rücken nun die Amerikaner zur »Schutzmacht« der Antikommunisten in Südvietnam auf. Langsam aber sicher entwickelt sich aus dem Engagement der USA der Vietnamkrieg.

 Gesellschaft

In München beginnt der Aufbau der zentralen Suchkartei des Deutschen Roten Kreuzes, das aus 20 Millionen Karteikarten die Schicksale Kriegsvermißter klären will.

Wetter

Schon zum dritten Mal seit 1949 präsentiert sich der Dezember mild. Bei durchschnittlich 3,7 °C gerät der Winteranfang fast in Vergessenheit.

1955

Donnerstag 8. Dezember

Die DDR findet keine Aufnahme in die UNESCO, die UN-Organisation für Kultur, Erziehung und Wissenschaft. Bei einer Abstimmung in einem begrenzten Gremium sprechen sich 13 Staaten gegen die Aufnahme aus, nur fünf sind dafür. Hauptargument der Ablehnung ist, daß Ostdeutschland von den meisten Ländern der Welt nicht als unabhängiger Staat anerkannt wird. Die Staaten der Welt müssen sich wegen der deutschen Teilung entscheiden, welchen beider Staaten sie anerkennen. Die Bundesrepublik reagiert auf die Aufnahme diplomatischer Beziehungen zum SED-Regime mit sofortiger Abberufung ihres Botschafters, da die Bonner Regierung den »Alleinvertretungsanspruch« aufrechterhält. Die meisten Länder bevorzugen diplomatische Beziehungen zur BRD, da Westdeutschland ein weitaus wichtigerer Handelspartner als die DDR ist.

> ## Rekorde in den 50er Jahren
>
> **Kugelstoßen:** Jim Fuchs (USA) – 17,95 m (1950)
> **10 000 m:** Emil Zátopek (TCH) – 28:54,6 min (1954)
> **800 m:** R. Moens (BEL) – 1:45,7 min (1955)
> **Eisschnellauf:** Eugen Grischin (URS) – 1000 m in 1:22,8 min (1955)

Wetter

Mit 2,0 °C erreicht der Dezember 1955 eine recht angenehme Durchschnittstemperatur, die deutlich über dem langjährigen Mittel liegt (0,7 °C).

1956

Samstag 8. Dezember

 Sport

Die XVI. Olympischen Sommerspiele enden im australischen Melbourne. Im Spätfrühling der südlichen Hemisphäre haben die sowjetischen Sportler zum ersten Mal die Spitze in der Nationenwertung übernommen. Mit 37 Gold-, 30 Silber- und 32 Bronzemedaillen rangieren sie vor den USA und Australien. Die deutschen Sportler waren mit einer gesamtdeutschen Mannschaft dabei. Die leidigen Probleme, unter welcher Flagge und welcher Nationalhymne gestartet werden sollte, hat man pragmatisch gelöst. Bei den insgesamt 30 Siegerehrungen wurde Schwarz-Rot-Gold mit olympischen Ringen zu den Klängen von Beethovens neunter Symphonie aufgezogen.

 Politik

Eine kleine Sensation ist das Zugeständnis von SED-Chef Walter Ulbricht auf einer Tagung in Ostberlin, daß es in der DDR mit den Arbeiterrechten nicht zum besten stünde. Eine kurze Phase relativer Liberalität in der DDR beginnt nun.

☀ *Wetter*

Die Sonne scheint im Dezember 1956 relativ häufig (41 Stunden). Sie erwärmt die Luft auf durchschnittliche 2,3 °C.

Sonntag 8. Dezember

Gesellschaft

Einkaufen am Sonntag ist noch möglich. Obwohl seit 1. 1. 1957 das Ladenschlußgesetz gilt, haben die Geschäfte zur Belebung der Konjunktur in der Vorweihnachtszeit auch sonntags geöffnet. Viele Bundesbürger in den Großstädten nutzen den Tag für einen Einkaufsbummel. Der Renner beim Weihnachtskauf sind in diesem Jahr Fernseher. Manche Geschäfte sind vom Boom überrascht und können die Nachfrage nicht befriedigen. Allein in den nächsten sechs Monaten steigt die Zahl der Fernsehteilnehmer um 25 % auf über 1,5 Millionen.

Politik

Eine kurze Krise am Persischen Golf löst der Iran aus. Er erklärt das von Großbritannien seit 1867 besetzte Bahrain zu seinem Besitz. Die Briten protestieren energisch und demonstrieren mit ihrer Flotte militärische Entschlossenheit. 1971 entlassen sie Bahrain in die Unabhängigkeit, garantieren aber weiter den Schutz der Inseln.

Wetter

Kühler als in den Vorjahren ist der Dezember 1957 mit einer mittleren Temperatur von 0,6 °C. Gemessen am langjährigen Mittelwert von 0,7 °C liegen die Temperaturen aber im Normalbereich.

1958

Montag 8. Dezember

 Technik

Die ersten hundert Kilometer der »Sonnenauto-bahn« in Italien sind fertig. Ministerpräsident Fanfani weiht das Stück von Mailand nach Parma ein. Die »Autostrada del Sole« wird von Florenz bis Neapel und von dort weiter bis Sizilien führen.

Politik

Stets korrekt und im Zweifelsfall eher weit geschnitten: Herrenmode in den 50ern

Das DDR-Parlament hat künftig nur noch eine Kammer, weil heute die Länderkammer aufgelöst wird. Dieser Schritt war überfällig, denn die früheren Länder der DDR existieren schon seit 1952 nicht mehr. Das Staatsgebiet ist in 14 Bezirke mit 217 Kreisen geteilt. Die Volkskammer ist nun die verfassungsmäßig einzig entscheidende Instanz. Tatsächlich fallen die Entscheidungen aber im Politbüro der SED. Im Vorfeld der deutschen Wiedervereinigung 1990 werden die Länder neugegründet.

 Wetter

In diesem Jahr wird es nichts mit der weißen Weihnacht. Die Temperaturen im Dezember 1958 liegen bei 2,5 °C – fast zwei Grad höher als normal.

Technik

Bessere und mehr Verbindungen sind das Ziel von Bundespostminister Richard Stücklen. Zur Zeit kommen auf 100 Bundesbürger gerade 9,4 Telefonanschlüsse. Die Post kommt mit ihrem Netzausbau nicht nach. Im Moment warten 75 000 Antragsteller auf ihren Anschluß. Um Telefonieren billiger zu machen, setzt Stücklen heute Investitionen von 5,15 Mrd. DM durch, mit denen das Telefonnetz bis 1963 flächendeckend ausgebaut werden soll.

Für eine gute Figur auf der Tanzfläche: Kleid aus Chiné-Taft

Technik

Die Amerikaner fliegen wieder am höchsten: Lawrence Flint steigt heute mit einer Phantom II auf 30 083 m auf. Er überbietet den bisherigen Weltrekord eines sowjetischen Piloten vom Sommer um 1,3 km.

Wetter

Der Winter beginnt 1959 mit relativ milden Temperaturen. Der Durchschnittswert von 1,5 °C im Dezember läßt die Niederschläge von 39 mm meist als Regen fallen.

1960-1969

Highlights des Jahrzehnts

1960

- Gründung der EFTA
- Frankreich wird 4. Atommacht
- John F. Kennedy wird 35. Präsident der USA
- Hochzeit des Jahres: Fabiola und König Baudouin von Belgien

1961

- Erster Mensch im Weltraum: der Russe Juri Gagarin
- Bau der Mauer in Berlin
- Gründung von Amnesty International

1962

- Flutkatastrophe an der Nordseeküste und in Hamburg
- Kuba-Krise: USA erzwingen Abbau sowjetischer Raketenbasen
- »Spiegel«-Affäre löst Regierungskrise aus
- Start der erfolgreichsten Serie der Kinogeschichte: James Bond

1963

- Deutsch-Französischer Freundschaftsvertrag
- US-Präsident Kennedy wird in Dallas erschossen
- Marika Kilius und Hans-Jürgen Bäumler werden Weltmeister im Eiskunstlaufen

1964

- Die USA greifen in den Vietnamkrieg ein
- Revolution in der Damenmode: der Minirock
- Der 22jährige Cassius Clay wird jüngster Boxweltmeister
- UdSSR: Breschnew neuer KP-Chef

- Erfolgreichste Pop-Gruppe der 60er: die Beatles
- Den Rolling Stones gelingt der internationale Durchbruch

1965

- Im Alter von 90 Jahren stirbt in London Winston Churchill
- Erste Fotos vom menschlichen Embryo im Mutterleib
- Ziehung der Lottozahlen erstmals im Fernsehen

1966

- Große Koalition aus CDU/CSU und SPD gebildet
- APO beginnt sich zu formieren

1967

- Sechs-Tage-Krieg in Nahost
- Erste Herztransplantation
- Bürgerkrieg in Biafra
- Kult-Musical »Hair« wird uraufgeführt

1968

- Ermordung des schwarzen Bürgerrechtlers Martin Luther King und des US-Präsidentschaftskandidaten Robert Kennedy
- »Prager Frühling« durch Einmarsch von Warschauer-Pakt-Truppen beendet
- Aufklärungswelle erreicht den Schulunterricht

1969

- Willy Brandt wird Kanzler einer sozialliberalen Koalition
- Der erste Mensch betritt den Mond
- »Sesamstraße« begeistert Millionen von Kindern
- Rockfestival in Woodstock

◀ US-Astronauten im Gruppenbild: Die 60er sind das Jahrzehnt der Raumfahrt

1960

Donnerstag 8. Dezember

 Technik

Ungewöhnliche Fracht befördert der von Kap Canaveral aufsteigende Satellit »Discoverer XVIII«. An Bord des amerikanischen Raumflugkörpers sind menschliche Körperzellen und menschliches Knochenmark. Die Wissenschaftler wollen herausfinden, wie sich die kosmische Strahlung auf den menschlichen Organismus auswirken könnte, bevor sie Astronauten ins All schicken. Dabei sind die Sowjets schneller: Juri Gagarin ist 1961 der erste Mensch im All.

 Kultur

Die Renner auf deutschen Bühnen in der Saison 1959/60 waren nach Meldung des Bühnenvereins »Die Fledermaus« von Johann Strauß und »Die zwölf Geschworenen« von Reginald Rose. Das dramatische Stück des Amerikaners um eine problematische Urteilsfindung ist auch im Kino mit Henry Fonda in tragender Rolle sehr erfolgreich.

 Wetter

Sonnenreich und zu warm ist der Dezember in diesem Jahr. 40 Stunden Sonnenschein führen dazu, daß die Durchschnittstemperatur 1,6 Grad höher liegt als gewöhnlich. Die 51 mm Niederschläge fallen meist als Regen.

1961

Freitag 8. Dezember

Sechs Monate mehr Wehrdienst müssen die Rekruten der Bundeswehr ab sofort leisten. Anderthalb Jahre bleiben die Soldaten jetzt im aktiven Dienst. Nur so ist es möglich, die der NATO zugesagten zwölf Divisionen zusammenzubekommen. Es ist noch die kürzeste Dienstpflicht in der NATO. In den USA und den Niederlanden sind es zwei Jahre, in Griechenland sogar 30 Monate.

Politik

Europa und Afrika sollen künftig mehr Handel miteinander treiben können. Die Europäische Wirtschaftsgemeinschaft gibt den 16 assoziierten Staaten des afrikanischen Kontinents größere Freiheiten im Handelsverkehr. Der EWG gehören im Moment Frankreich, die Bundesrepublik, Italien und die Benelux-Staaten an.

Rekorde in den 60er Jahren

Stabhochsprung: Brian Sternberg (USA)
– 5,00 m (1963)
Hochsprung: V. Brumel (URS) – 2,28 m (1963)
Weitsprung: Bob Beamon (USA)
– 8,90 m (1968)
100 m: Jim Hines (USA)
– 9,9 sec (1968)

Wetter

Ein früher Wintereinbruch senkt den Temperaturschnitt im Dezember 1961 auf –1,5 °C. Mit ungewöhnlichen 65 Sonnenscheinstunden werden die Deutschen für die Kälte entschädigt.

Gesellschaft

Die Kehrseite des Fortschritts lernt die britische Hauptstadt London kennen. Eine etwa 150 m dicke, schmutzig-gelbe Smogwolke liegt über der Stadt und fordert heute das 106. Todesopfer innerhalb von drei Tagen. Londoner Bürger bleiben soweit möglich in den Häusern. Polizisten auf Streife und auch viele Passanten tragen Atemschutzmasken.

 Politik

»Mini« heißt das Schlagwort der 60er – hier in Form eines Strickkleides

Ein Ende des Terrors in der Tschechoslowakei ist noch nicht in Sicht. Staatspräsident Antonín Novotný wird abermals einstimmig als Parteichef bestätigt. Seit 1953 herrscht er wie ein zweiter Stalin über das Land und läßt jede Form von Eigenständigkeit brutal unterdrücken. Indirekt stärkt er so die Reformkräfte, die sich 1968 im »Prager Frühling« kurzzeitig durchsetzen.

 Wetter

Noch frostiger als 1961 zeigt sich der Dezember in diesem Jahr mit einer Durchschnittstemperatur von –3,0 °C. In der klaren Luft bringt es die Wintersonne auf 57 Scheinstunden.

Sonntag 8. Dezember

Sport

Vor ausverkauftem Haus siegt das Eishockey-Team der Bundesrepublik überraschend über die DDR-Auswahl in Ostberlin. Nach den drei Dritteln steht es in der Werner-Seelenbinder-Halle 4:3 für Westdeutschland. Die Enttäuschung im Osten ist groß, denn bei der harten Partie ging es um die Teilnahme an den Olympischen Winterspielen 1964 in Innsbruck.

Kurzer Mantel mit Schlaghose: Auch in die Männermode kommt Bewegung

Gesellschaft

Wie Schnee rieselt es seit einem Monat aus dem Himmel über Costa Rica, dem tropenwarmen Land in Mittelamerika. Bei den Flocken handelt es sich aber um Vulkanasche, die ein 35 km entfernter Kegel ausspeit – 53 Tonnen täglich. Die Hauptstadt San José schließt heute den Flughafen und erklärt den Katastrophenzustand, da mittlerweile 8 cm Asche die Straßen und Wege bedecken.

Wetter

Der Trend der Vorjahre setzt sich 1963 fort. Bei –2,7 °C herrscht im Dezember trockenes, bisweilen sehr kaltes Frostwetter.

Dienstag 8. Dezember

Gesellschaft

Deutsche schütteln nach einer Umfrage gerne Hände. Nur jeder fünfte würde auf den ständigen Hautkontakt zur Begrüßung gerne verzichten. Die Händeschüttler sind mit 67 % deutlich in der Überzahl.

Ein weiteres »Rassengesetz« in Amerika fällt. Der Oberste Gerichtshof der USA erklärt, daß kein Landesgesetz die Übernachtung von Schwarzen und Weißen in einem Zimmer verbieten darf. Das Gesetzbuch von Florida enthält einen solchen Paragraphen. Nach und nach fallen alle gesetzlichen Rasseschranken, nachdem im Juli die Bürgerrechtsbewegung um den Baptistenpfarrer Martin Luther King im Kampf um die Gleichberechtigung den entscheidenden Sieg errungen hat: US-Präsident Johnson unterzeichnete die Gesetze zur Aufhebung der Rassentrennung.

Sport

Jubel herrscht auf Hawaii, wo die US-Golfer zum fünften Mal die inoffizielle Weltmeisterschaft, den Canada Cup, holen.

Wetter

Erstmals seit 1960 liegt die Durchschnittstemperatur im Dezember 1964 mit 1,4 °C wieder im Plusbereich. Dabei ist es meist bewölkt.

1965

Mittwoch 8. Dezember

Fast philosophischen Rang hat der gelungene Nachweis von Antimaterie am DESY-Institut in Hamburg. Die Antiprotonen, die in flüssigem Stickstoff »gefangen« wurden, der mit einem Lichtstrahl von sagenhaften 6,2 Mrd. Elektronenvolt angestrahlt wurde, liefern einen endgültigen Beweis für die Existenz einer »Antiwelt«. Nach Meinung namhafter Forscher existiert zu jedem Teilchen und jeder Form der Welt ein Gegenstück in dieser Antiwelt.

Gesellschaft

Das II. Vatikanische Konzil wird von Papst Paul VI. nach drei jährigen Tagungen geschlossen. Es diente der Modernisierung der Kirche. Die Römische Kirche erkennt nun Erkenntnisse der Wissenschaft über die Evolution an. Auch dürfen Messen künftig in der Landessprache statt Latein gehalten werden.

Die Westberliner Schnapsregale sind im Moment wichtigster Anlaufpunkt beim Einkauf. Durch den heute verabschiedeten Wegfall von Steuervergünstigungen auf Spirituosen wird Hochgeistiges ab 1966 um 30-50 % teurer.

Wetter

Sonnig und warm verläuft der Dezember 1965 mit einem Temperaturschnitt von 2,7 °C und 67 Sonnenscheinstunden.

1966

Donnerstag 8. Dezember

 Politik

Gegen den Rechtsextremismus in der BRD protestieren 3000 Studenten der Tübinger Universität. Ähnliche Veranstaltungen finden in diesen Wochen überall in der Bundesrepublik, aber auch in den Niederlanden und Frankreich statt. Die Menschen sind wegen der Wahlerfolge der NPD in Westdeutschland in Sorge. Die »Nationaldemokraten« sitzen seit November in den Landtagen von Hessen und Bayern. Die Konjunktur der Rechten endet erst zu Beginn der 70er Jahre wieder.

 Technik

Ein Rätsel bleibt der Untergang des Fährschiffes »Heraklion« im Mittelmeer. Bei einem der größten Schiffsunglücke der Nachkriegszeit kommen 235 Menschen ums Leben. Der schwere Sturm im östlichen Mittelmeer hätte dem 1949 gebauten Schiff nichts ausmachen dürfen. Trotzdem scheint es eines seiner Zufahrtstore verloren zu haben, wodurch Wasser eindringen konnte.

 Wetter

Mit durchschnittlich 2,3 °C Lufttemperatur ist der Dezember 1966 um 1,5 Grad wärmer als gewöhnlich. Zahlreiche Wolkenfelder bringen großzügige 67 mm Niederschlag.

1967

Freitag 8. Dezember

Kultur

Münchens Feuilleton-Seiten in den Zeitungen sind voll des Lobes über Martin Walsers Stück »Die Zimmerschlacht. Ein Übungsstück für Ehepaare«. Die gestrige Erstaufführung an den Kammerspielen unter der Regie von Fritz Kortner war ein voller Erfolg. Das Stück ähnelt stark »Wer hat Angst vor Virginia Woolf?« von Edward Albee: Ein Ehepaar gerät an einem »gemütlichen« Abend aneinander und der aufgestaute Haß bricht sich Bahn.

Preise in den 60er Jahren

1 kg Butter	7,58
1 kg Mehl	1,06
1 kg Fleisch	7,91
1 l Vollmilch	0,50
1 Ei	0,21
10 kg Kartoffeln	2,88
1 kg Kaffee	16,61
Stundenlohn	4,15

in DM, Stand 1964

Gesellschaft

Auf den Autobahnen bricht ein Verkehrschaos aus. Die Bundesbürger wollen den Schneefall, der termingerecht zum Wochenende für gute Wintersportmöglichkeiten sorgt, ausnutzen. Da zu viele diese Idee hatten, muß die Verkehrswacht gegen Abend Tee und Decken verteilen.

Wetter

Etwas wärmer als im Durchschnitt (0,7 °C) präsentiert sich in diesem Jahr der Dezember mit Temperaturen um 1,2 °C.

Sonntag 8. Dezember

 Politik

Die Pariser Friedenskonferenz zur Beendigung des Vietnamkrieges ist mit Eintreffen der südvietnamesischen Delegation vollzählig. Die Gespräche sind geheim, da die Unterhändler ohne offenen Druck konferieren wollen. Amerikas Außenminister Henry Kissinger erreicht in den jahrelangen Gesprächen keine Friedenslösung, wohl aber den relativ gefahrlosen Abzug der US-Truppen 1973. Der Krieg geht jedoch weiter und endet 1975 mit dem Sieg des kommunistischen Nordens.

 Politik

Die bundesdeutsche Linke will 1969 gemeinsam in den Bundestag einziehen. DKP, Sozialistischer Studentenbund und Deutsche Friedensunion schließen das Wahlbündnis »Aktion demokratischer Fortschritt«. Es ist wegen der 5 %-Hürde aber chancenlos.

Stars der 60er Jahre

Die Beatles
Popgruppe
Sean Connery
Filmschauspieler
Pelé
Fußballspieler
Jean Paul Belmondo
Filmschauspieler
Dustin Hoffman
Filmschauspieler

 Wetter

Der Winter 68/69 fängt im Dezember mit einem Temperaturschnitt von –1,7 °C gleich richtig an. Die 44 mm Niederschlag fallen meist als Schnee.

1969

Montag 8. Dezember

Politik

Die deutsch-sowjetische Annäherung nimmt mit Beginn der Gespräche zwischen dem deutschen Botschafter und Außenminister Gromyko langsam Formen an. Die Unterredungen drehen sich um eine gegenseitige Gewaltverzichtserklärung. Die sozialliberale Koalition in Bonn unter Kanzler Brandt will durch ihre neue Ostpolitik Bewegung in den kalten Krieg bringen. »Wandel durch Annäherung« heißt die Devise. 1970 kommt der Moskauer Vertrag zustande, dem weitere mit Polen, der Tschechoslowakei und schließlich der DDR folgen.

Politik

Das Black-Panther-Büro in Los Angeles wird von 300 amerikanischen Polizisten gestürmt und zerstört. Der Staat befindet sich praktisch im Krieg mit der radikalen Organisation schwarzer Bürgerrechtler, die auch vor Gewalt nicht zurückschrecken. Allein 1968 kamen 28 »Panther« durch die Polizei ums Leben, 600 wurden verhaftet.

Wetter

Ein rekordverdächtiges Monatsmittel von –5,4 °C läßt Deutschland im Dezember 1969 im Eis erstarren. Die 46 mm Niederschlag gehen als Schnee auf die Erde nieder.

Highlights des Jahrzehnts

1970

Neue deutsche Ostpolitik: Moskauer und Warschauer Vertrag
Vietnamkrieg weitet sich auf Kambodscha aus
Einstellung des Contergan-Prozesses

1971

Einführung des Frauenwahlrechts in der Schweiz
Friedensnobelpreis für Willy Brandt
Hot pants – Modeschlager der Saison
Kinohit »Love Story« rührt Millionen Zuschauer zu Tränen

1972

Unterzeichnung des Rüstungskontrollabkommens SALT I
Verhaftung von Baader-Meinhof-Terroristen
Überfall palästinensischer Terroristen auf die israelische Mannschaft bei den Olympischen Spielen in München
Unterzeichnung des Grundvertrages zwischen Bundesrepublik und DDR

1973

Aufnahme beider deutscher Staaten in die UNO
USA ziehen ihre Truppen aus Vietnam zurück
Jom-Kippur-Krieg in Nahost
Ölkrise: Sonntagsfahrverbot auf bundesdeutschen Straßen

1974

Guillaume-Affäre stürzt Willy Brandt, neuer Bundeskanzler wird Helmut Schmidt
Watergate-Affäre zwingt US-Präsident Nixon zum Rücktritt

- Deutschland wird Fußballweltmeister
- »Nelkenrevolution« in Portugal

1975

- Beginn des Bürgerkriegs im Libanon
- Unterzeichnung der KSZE-Schlußakte in Helsinki
- Spanien: Tod Francos und demokratische Reformen unter König Juan Carlos I.
- Einweihung des 3 km langen Elbtunnels in Hamburg
- Volljährigkeit von 21 auf 18 Jahre herabgesetzt

1976

- Umweltkatastrophe in Seveso
- Anschnallpflicht für Autofahrer
- Traumhochzeit des Jahres: Karl XVI. Gustav von Schweden heiratet die Deutsche Silvia Sommerlath

1977

- Entführung und Ermordung des Arbeitgeberpräsidenten Hanns Martin Schleyer
- Emanzipationswelle: Frauenzeitschrift »Emma« erscheint

1978

- Friedensverhandlungen zwischen Israel und Ägypten in Camp David
- In England kommt das erste Retortenbaby zur Welt

1979

- Überfall der Sowjetunion auf Afghanistan
- Schiitenführer Khomeini proklamiert im Iran die Islamische Republik
- Sandinistische Revolution beendet Somoza-Diktatur in Nicaragua

Martina Navratilova gewinnt neunmal in Wimbledon, zuerst 1978

1970

Dienstag 8. Dezember

 Politik

In Bayern herrscht Kontinuität an der Spitze: Alfons Goppel, Landesvater seit 1962, wird als Ministerpräsident des Freistaates bestätigt. Bei den Landtagswahlen im November konnte die CSU ihre absolute Mehrheit auf 56,4% ausbauen. Die Sozialdemokraten mußten herbe Verluste einstecken. Besonders die radikale Ablehnung der sozialliberalen Ostpolitik, die auf eine De-facto-Anerkennung der DDR hinausläuft, bringt der CSU in den konservativen Schichten Bayerns Stimmengewinne.

 Politik

Großbritannien und die EG feilschen weiter um die Konditionen eines Beitritts des Inselstaates. Der britische Europaminister Rippon fordert eine fünfjährige Übergangsfrist für den britischen Agrarmarkt. Großbritannien kann durch das Commonwealth viele Nahrungsmittel weitaus günstiger beziehen als durch die EG. Erst 1973 ist man sich einig und Großbritanniens Beitritt erfolgt.

 Wetter

Wenig Aufsehen erregt das Dezemberwetter 1970. Mit 1,7 °C ist es wärmer als normal (0,7 °C), die Niederschlagsmenge (35 mm) weicht aber nur wenig vom langjährigen Mittel (41 mm) ab.

Mittwoch 8. Dezember

Die bundesdeutsche Entwicklungshilfe für Pakistan und Indien wird ausgesetzt. Außenminister Scheel prangert die militärische Auseinandersetzung zwischen beiden Staaten an. Am 3. Dezember hat Indien Pakistan den Krieg erklärt, um die Unabhängigkeitsbewegung in Bangladesch zu stärken. Der neue Staat in Asien hat bisher als »Ostpakistan« zu Pakistan gehört, aber im November seine Unabhängigkeit ausgerufen. Darauf hat Pakistan mit Luftangriffen reagiert. Unter Indiens Schutz gelingt Bangladesch die Ablösung.

Politik

Bei Volkswagen ruht die Produktion. Wegen des Streiks in der Metallindustrie werden die Bänder angehalten. Erst Mitte Dezember kann es nach einer Einigung im Lohnstreit weitergehen.

Preise in den 70er Jahren

1 kg Butter	8,36
1 kg Mehl	1,16
1 kg Fleisch	10,15
1 l Vollmilch	1,06
1 Ei	0,22
10 kg Kartoffeln	6,44
1 kg Zucker	1,65
Stundenlohn	10,40

in DM, Stand 1975

Wetter

Milde statt weiße Weihnacht gibt es im Dezember 1971. Mit 4,7 °C Durchschnittstemperatur ist es vier Grad wärmer als gewöhnlich. Aus den wenigen Wolken fallen nur 26 mm Niederschlag.

1972

Freitag 8. Dezember

 Politik

Als erstes Land des Ostblocks tritt Rumänien dem Internationalen Währungsfond (IWF) bei. Die sowjetische Doktrin verurteilt das Gremium als Machtapparat der »Kapitalisten« über die Entwicklungsländer. Der IWF verteilt Kredite an Staaten, die aber an politische Auflagen gebunden sein können. Als Ende der 80er Jahre in Afrika die Demokratisierungswelle losbricht, unterstützt der IWF die Reformstaaten weitaus aktiver als rückwärtsgewandte Regime. Der Beitritt Rumäniens ist nur eines von vielen Beispielen für die doppelzüngige Politik von Staatsführer Ceauşescu. Außenpolitisch nimmt er sich viel Freiraum, innenpolitisch ist er aber einer der letzten »reinen« Stalinisten. Nirgends im Osten ist die Unterdrückung so rigide.

 Gesellschaft

In Addis Abeba kommen Passagiere einer Boeing 707 mit dem Schrecken davon. Äthiopische Sicherheitsbeamte vereiteln eine geplante Entführung.

 Wetter

Verhältnismäßig mild und trocken bleibt es im Dezember 1972 mit 1,4 °C und 28 mm Niederschlag im Monatsdurchschnitt. Der Winter stellt sich in diesem Jahr nur zögerlich ein.

1973

Politik

Der »gläserne Präsident« wird in den USA Wirklichkeit. Richard Nixon, Präsident seit 1968, legt seine persönlichen Vermögensverhältnisse offen. Er will damit den Vorwurf entkräften, sich an seinem Amt bereichert zu haben. Nixon steht in den USA seit Jahresbeginn unter schwerem Beschuß, weil er möglicherweise hinter den Ereignissen des »Watergate«-Skandals steht. Dieser begann 1972 mit einem Einbruch in Gebäude der oppositionellen Demokraten. 1974 tritt Nixon zurück, um einer Absetzung zuvorzukommen.

Rekorde in den 70er Jahren

100 m: Marlies Göhr (GDR) – 10,88 sec (1977)
Hochsprung: Rosemarie Ackermann (GDR) – 2,00 m (1977)
Weitsprung: Vilma Bardauskiene (URS) – 7,09 m (1978)
800 m: S. Coe (GBR) – 1:42,4 min (1979)

Kultur

Auf Platz eins der Bestsellerliste steht die Hitlerbiographie von Joachim C. Fest. Der Autor versucht mit »Hitler. Eine Biographie« den Diktator in Einklang mit den Problemen der Zeit zu bringen.

Wetter

Das Jahr 1973 endet ohne große Überraschungen: Mit Temperaturen um 0,5 °C ist es kaum kälter als gewöhnlich (0,7 °C).

1974

Sonntag 8. Dezember

 Kultur

Den Boykott der Nobelpreisverleihung gibt die Sowjetunion bekannt. Sechs andere kommunistische Länder schließen sich an. Die Kommunisten protestieren damit gegen die Entgegennahme des Literatur-Nobelpreises von 1970 durch den Schriftsteller Solschenizyn. Der scharfe Kritiker des Sowjetregimes durfte 1970 nicht nach Stockholm reisen und lebt nun im Exil.

Stars der 70er Jahre

Robert de Niro
Filmschauspieler
Jane Fonda
Filmschauspielerin
Woody Allen
Filmregisseur
Steven Spielberg
Filmregisseur
Muhammad Ali
Boxer

 Politik

Griechenlands Bürger wollen keine Könige mehr. Fast 70 % befürworten in einer Volksabstimmung die Republik als Staatsform. Konstantin II. ist gescheitert. In Griechenland ist die Stimmung nach zehn Jahren Militärdiktatur gegen Alleinherrschaft.

Wetter

Herbstlich naß und ungewöhnlich warm ist es im Dezember 1974. Mit 5,2 °C wird der langjährige Mittelwert um 4,5 Grad überschritten. Die Niederschlagsmenge liegt mit 62 mm 50 % höher, als normalerweise zu erwarten ist.

100

1975

Montag 8. Dezember

Amerikas UNO-Botschafter Moynihan klagt die Sowjetunion an. Die sowjetische Politik in Angola und Somalia könne er nur als »Kolonialismus« bezeichnen. Tatsächlich sind verdeckt arbeitende Militärberater, die kommunistische Bewegungen stärken, in beiden jungen Staaten anwesend. Die Sowjetunion antwortet mit Gegenvorwürfen und nennt neben Lateinamerika ebenfalls Angola. Dort liefern sich verfeindete Gruppen einen »Stellvertreterkrieg«.

Einen Karriereknick muß Otto Rehhagel, Trainer von Kickers Offenbach, hinnehmen. Das Sportgericht des DFB sperrt ihn bis zum Februar 1976, weil er einen Schiedsrichter der Bestechlichkeit bezichtigt hat. Kickers Offenbach zeigt Rehhagel nach dem Urteil die rote Karte. Er findet 1976 zunächst bei Werder Bremen, dann bei Borussia Dortmund ein neues Zuhause.

Abermals zu warm präsentiert sich der Dezember in diesem Jahr. Um zwei Grad wird der Normalwert für diesen Monat überschritten. Der Niederschlag von 45 mm fällt dabei meist als Regen.

1976

Mittwoch 8. Dezember

 Politik

Wahlversprechen von SPD und FDP sind knapp zwei Monate nach dem Sieg bei den Bundestagswahlen passé. Die Koalitionsrunde lehnt heute die fest zugesagte Erhöhung der Renten um 10% kurzerhand ab. Das Wort vom »Rentenbetrug« macht die Runde. Kanzler Schmidt muß am 15. Dezember seinen Fehler gutmachen und gesteht zum Sommer 1977 eine Anpassung von 9,9 % zu.

 Technik

Nordalaskas Rohstoffgebiete sind mit Fertigstellung der 1300 km langen Ölpipeline zum Hafen Valdez mit der Welt verbunden. Die riesigen Ölvorkommen werden unter härtesten Umweltbedingungen erschlossen und über den ganzjährig eisfreien Hafen verschifft.

Ausgestellte Hosen und viel Schmuck trägt die moderne Frau in den 70er Jahren

 Wetter

Bestes Winterwetter bietet der Dezember 1976. Die Temperaturen um −0,3 °C werden bei trockenem Wetter (nur 26 mm Niederschlag) als angenehm empfunden. Mit 43 Sonnenstunden ist dieser Monat ungewöhnlich heiter.

1977

Donnerstag 8. Dezember

Technik

Die Aufnahmetechnik erlebt eine kleine Revolution. Amerikanischen Wissenschaftlern gelingt die Herstellung eines neuartigen Magnetbandes, das mit reinen Metallpartikeln beschichtet ist. Dadurch wird das »Grundrauschen« bei Aufnahmen zurückgedrängt und die Qualität erheblich gesteigert.

Voll im Zeitgeschmack: Der Midimantel mit aufgesetzten Taschen für kalte Winter

Politik

Proteste indonesischer Studenten gegen Staatschef Suharto schlägt die Polizei in der Hauptstadt Jakarta nieder. Suharto herrscht schon seit elf Jahren über das Inselreich. Sein jüngster Plan, sich zu Lebzeiten für 20 Mio. DM ein Mausoleum bauen zu lassen, hat den Unmut der Bevölkerung gesteigert. Der Diktator, der als Partisan gegen die niederländischen Kolonialherren gekämpft hat, ist auch in den 90er Jahren noch im Amt.

Wetter

Schnee bleibt Mangelware bei der Durchschnittstemperatur von 3,0 °C im Dezember 1977. Die Niederschläge (38 mm) fallen meist als Regen.

1978

Freitag 8. Dezember

 Politik

Eine Wahlfarce spielt sich in Namibia ab. Die von Südafrika gestützten Konservativen gewinnen überlegen mit 82% der Stimmen – weil die entscheidende Gegenkraft, die Befreiungsorganisation SWAPO, die Wahlen boykottiert hat. Südafrika ist offiziell Treuhänder des noch nicht unabhängigen Landes, das bis 1918 als Deutsch-Südwestafrika deutsche Kolonie war. Südafrika will freie Wahlen verhindern, da es Namibia als Aufmarschgebiet im Angolakrieg braucht. Erst nach dessen Ende wird Namibia 1990 unabhängig. Die SWAPO gewinnt 1994 über 70 % der Stimmen.

 Politik

Israel trauert um die frühere Ministerpräsidentin Golda Meïr. Die Politikerin stirbt im Alter von 80 Jahren in Jerusalem. Zehntausende Israelis ziehen an ihrem Sarg vorbei.

 Wetter

Weiß, klar, kalt und sonnig erfüllt das Dezember-wetter 1978 alle Kinder- und Sportlerwünsche. Bei durchschnittlich –0,6 °C fällt die Rekordmenge an Niederschlägen (94 mm) fast durchgängig als Schnee. Trotzdem bricht die Sonne für 38 Stunden durch die Wolken.

1979

Samstag 8. Dezember

Politik

Die Rohstoffe im Chinesischen Meer wollen Japan und China gemäß dem heute in Peking geschlossenen Vertrag gemeinsam abbauen. Dort werden große Erdöl- und Erdgasvorkommen vermutet. Japan stellt die Technologien für die Suche zur Verfügung. Das wichtigste asiatische Industrieland hat immenses Interesse an der Volksrepublik, die als größter möglicher Absatzmarkt gilt. Die Industriestaaten hoffen darauf, daß die Chinesen in Zukunft all die Güter abnehmen, die die westlichen Gesellschaften schon im Überfluß haben.

Politik

Ein winziges Symbol der Freiheit, die »Mauer der Demokratie« in Peking, wird von den Behörden stillgelegt. An dem Gemäuer konnten Bürger der Millionenstadt durch Zettel und Plakate ihre Meinungen äußern. Da die Mißfallensbezeugungen in letzter Zeit überwogen, schließt die Stadtverwaltung diese Nische der Meinungsfreiheit.

Wetter

Das Jahrzehnt verabschiedet sich mit einem naßtrüben Dezember. Mit 3,8 °C ist es zwar ungewöhnlich warm, aber es fallen auch 71 mm statt der durchschnittlichen 41 mm Niederschlag.

1980–1989

Highlights des Jahrzehnts

.... *1980* ....

Golfkrieg zwischen Iran und Irak
Gründung einer neuen Bundespartei: »Die Grünen«
Bildung der polnischen Gewerkschaft »Solidarność«

.... *1981* ....

Attentate auf US-Präsident Ronald Reagan, den Papst und Ägyptens Staatschef Anwar As Sadat
Erster Start der wiederverwendbaren Raumfähre »Columbia«
In den USA werden die ersten Fälle von AIDS bekannt
Hochzeit des Jahres: Der britische Thronfolger Charles, Prince of Wales, heiratet Lady Diana

.... *1982* ....

Krieg um die Falkland-Inseln
Sozialliberale Koalition bricht auseinander; Helmut Kohl wird neuer Bundeskanzler
Selbstjustiz vor Gericht: der »Fall Bachmeier«
»E. T. – der Außerirdische« wird zum Kinohit

.... *1983* ....

US-Invasion auf Grenada
Skandal um gefälschte Hitler-Tagebücher
Aerobic wird in der Bundesrepublik populär

.... *1984* ....

Richard von Weizsäcker wird Bundespräsident
Ermordung von Indiens Ministerpräsidentin Indira Gandhi, Nachfolger wird ihr Sohn Rajiv Gandhi

.... *1985* ....

- Michail Gorbatschow wird neuer Kremlchef
- Sensation: Boris Becker siegt als erster Deutscher in Wimbledon
- »Live-Aid-Concert« für Afrika

.... *1986* ....

- Attentat auf Schwedens Ministerpräsident Olof Palme
- Katastrophe im Kernkraftwerk Tschernobyl
- Explosion der US-Raumfähre »Challenger«
- Premiere des Musicals »Cats« in Hamburg

.... *1987* ....

- Widerstand gegen Volkszählung
- Barschel-Affäre in Kiel
- Matthias Rust landet mit einem Sportflugzeug auf dem Roten Platz in Moskau

.... *1988* ....

- Atommüllskandal in Hessen
- Ende des Golfkriegs
- Geiseldrama von Gladbeck als Medienspektakel
- Dopingskandal überschattet Olympische Spiele in Seoul
- Reagan und Gorbatschow vereinbaren Verschrottung atomarer Mittelstreckenraketen

.... *1989* ....

- Die DDR öffnet ihre Grenzen
- Blutbad auf dem Platz des Himmlischen Friedens in Peking
- Demokratisierungskurs im gesamten Ostblock
- »Exxon Valdez«: Ölpest vor Alaska

Der »Thriller« der 80er: Michael Jackson ist der Megastar der Rockmusik

1980

Montag 8. Dezember

 Gesellschaft

Einen Schock löst die Ermordung von Ex-Beatle John Lennon aus. Der 40jährige Musiker wird beim Verlassen seines Hauses in London von einem Verwirrten erschossen. Weltweit ändern Radiostationen ihre Programme und spielen bis tief in die Nacht Lennon-Songs. Auch nach der Trennung der Beatles 1970 blieb Lennon ein erfolgreicher Musiker und Produzent. Er engagierte sich zudem im linken Spektrum der Friedensbewegung.

Stars der 80er Jahre

Richard Gere
Filmschauspieler
Madonna
Sängerin
Harrison Ford
Filmschauspieler
Jodie Foster
Filmschauspielerin
Michael Jackson
Sänger

 Gesellschaft

Zeugen erhalten größeren Schutz durch das Urteil des Bundesgerichtshofs von heute: Zukünftig muß niemand mehr öffentlich oder in Anwesenheit des Angeklagten seine Aussagen machen, wenn dadurch Gefahr für »Leib und Leben« besteht.

 Wetter

Der Dezember 1980 ist recht mild. Die Temperaturen um 1,5 °C liegen deutlich über dem langjährigen Durchschnittswert für den Monat von 0,7 °C. Dabei regnet es viel.

1981

Dienstag 8. Dezember

Einen würdigen Gegenspieler bekommt die britische Premierministerin Thatcher in Arthur Scargill, den die Bergarbeiter heute zu ihrem Vorsitzenden wählen. Die erzkonservative »Eiserne Lady« und der bärbeißige, laute, bodenständige und mitreißende Gewerkschaftsführer stehen sich im Streit um die Zechenschließungen in Großbritannien in nichts nach. Scargill organisiert den Streik 1984/85: 130 000 Kumpel legen für fast zwölf Monate die Arbeit nieder, um gegen 20 Werksschließungen zu protestieren. Der Gewerkschaftler geht dafür sogar hinter Gitter, bleibt im Kurs aber hart.

Gesellschaft

Erleichtert verlassen 150 Geiseln nach 24stündigem Irrflug drei Maschinen aus Venezuela, die von linken Guerillas entführt worden waren. Sie wollten nach Kuba fliehen und lassen die Menschen nach der Landung in Havanna laufen.

Wetter

Kalt und schneereich ist der Dezember 1981. Minus 2,7 °C zeigt das Thermometer durchschnittlich – mehr als drei Grad weniger als gewöhnlich. Dabei fallen die 66 mm Niederschlag (normal sind 41 mm) meist als Schnee.

1982

Mittwoch 8. Dezember

 Technik

Mindestens 3000 km mehr Autobahn braucht die Bundesrepublik nach den Plänen von Verkehrsminister Dollinger. In den nächsten Jahren soll das jetzt schon dichteste Autobahnnetz der Welt auf eine Gesamtlänge von 10 800 km ausgebaut werden. In Westdeutschland sind fast 30 Millionen Autos unterwegs; auch die Erkenntnisse über sauren Regen, Smog und Ozongifte haben bisher nicht zu verkehrspolitischem Umdenken geführt. Vielmehr ist das etwa 28 000 km lange Eisenbahnnetz von Stillegungen betroffen. Der Gütertransport via Schiene geht pro Jahr um 8 % zurück.

 Gesellschaft

Ein Kompromiß rettet Arbed Saarstahl: Der Konzern erhält weiter öffentliche Kredite, weil sich die Belegschaft bereit erklärt, auf die Hälfte ihres Weihnachtsgeldes zu verzichten. Die Einigung zwischen Gewerkschaften, Konzernleitung und öffentlichen Händen sichert 30 000 Arbeitsplätze.

Wetter

Viele fast frühlingshafte Tage bringt der Dezember 1982. Durch 45 Sonnenstunden erreicht die Durchschnittstemperatur 2,6 °C. Sie liegt damit 1,9 °C über dem langjährigen Mittel.

Donnerstag 8. Dezember

Politik

Die SALT-Abrüstungsgespräche über den Abbau strategischer, weitreichender Nuklearwaffen werden von der Sowjetunion abgebrochen. Die östliche Großmacht hat bereits im November die Verhandlungen über Mittelstreckenraketen beendet und kappt bis Ende Dezember alle überhaupt laufenden Gespräche mit den USA. Damit wollen die Sowjets Druck auf den Westen ausüben, der seit einigen Wochen neue Nuklearsysteme in Europa stationiert. Diese »Nachrüstung« ist Teil des »NATO-Doppelbeschlusses« 1979, der die Neustationierung festlegte, wenn die Sowjets ihre neuen SS-20-Raketen nicht abbauen. Die Beziehungen zwischen den wichtigsten Atommächten der Welt haben ihren Tiefpunkt während der 80er Jahre erreicht. Erst Michail Gorbatschow bringt ab 1985 frischen Wind in die Verhandlungen.

Der erfahrendste Raumfahrer ist John W. Young. Der Kommandant der Raumfähre »Columbia« hat mit sechs die meisten Raumflüge hinter sich. Fast 35 Tage hat er in den »unendlichen Weiten« verbracht.

Wetter

Kaum besondere Vorkommnisse meldet der Wetterbericht Dezember 1983. Mit 0,7 °C liegt das Monatsmittel voll im langjährigen Durchschnitt. Allerdings sorgen die reichlichen 63 Sonnenstunden (statt 36) für zahlreiche heitere Tage.

1984

Samstag 8. Dezember

Sport

Der dritte Gewinn des Fußball-Weltcups gelingt den Kickern von Independiente Buenos Aires. In Tokio schlagen sie den FC Liverpool knapp mit 1:0. Liverpool galt vorher als klarer Favorit, da das Team soeben souverän den Europapokal der Landesmeister gewonnen hat.

Politik

Wie halten wir es mit der SPD, fragen sich die Delegierten auf dem Parteitag der Grünen. Nach der gestrigen Eröffnung steht heute die Koalitionsfrage auf dem Programm. Seit 1983 sind die Alternativen im Bundestag. Eine erste Koalition mit den Sozialdemokraten in Hessen ist gerade gescheitert. Bei den Grünen herrscht heftiger Streit darüber, ob man überhaupt koalieren sollte. »Fundis« und »Realos« beharken einander in den nächsten Jahren, bis sich die Realpolitiker bei den ökologischen Erneuerern durchsetzen.

Wetter

Wolken, aber wenig Niederschlag bringt der Dezember 1984. Die Sonne zeigt sich etwas seltener als gewöhnlich, und auch die Niederschlagsmenge (29 mm) liegt unter dem Schnitt (41 mm). Die Temperaturen (um 0,6 °C) sind mäßig.

Sonntag 8. Dezember

Kultur

Die »Lindenstraße« startet mit der Folge »Herzlich willkommen«. Punkt 18.40 Uhr ist in der ARD nun »Lindenstraßenzeit«. Die Familienserie ist auf mehrere Jahre geplant und erweist sich als Dauerbrenner im öffentlich-rechtlichen Programm. Inspiriert von amerikanischen Erfolgen dreht der WDR in seinem Studio in Köln-Bocklemünd die Serienfolgen. Der Kölner Vorort heißt im WDR-Slang bald »Hollymünd«.

Preise in den 80er Jahren	
1 kg Butter	9,44
1 kg Mehl	1,36
1 kg Fleisch	11,83
1 l Vollmilch	1,22
1 Ei	0,26
10 kg Kartoffeln	8,84
1 kg Zucker	1,94
Stundenlohn	17,23
in DM, Stand 1985	

Politik

Ein Viertel der Menschheit umfaßt der neugegründete »Südasiatische Verband für regionale Zusammenarbeit« (SAARC), dem Indien, Pakistan, Bangladesch, Nepal, Bhutan, Sri Lanka und die Malediven angehören. Die Länder wollen sich als Standorte der Mikroelektronik empfehlen.

Wetter

Ideales Grippewetter beschert der Dezember 1985. Die Durchschnittstemperatur von 4,2 °C liegt 3,5 Grad höher, als normalerweise zu erwarten ist. Dabei fallen 63 mm Regen.

Montag 8. Dezember

 Politik

Zur »atomwaffenfreien Zone« wird der Südpazifik durch die Unterschrift des australischen Premiers Robert Hawke. Insgesamt acht Staaten der Region untersagen allen Schiffen, die Nuklearmaterial oder Nuklearantriebe haben, ihre Häfen anzulaufen oder in ihre Hoheitsgewässer einzudringen. Die Pazifikstaaten wollen einerseits ein Zeichen zur Abrüstung geben, andererseits gegen die häufigen französischen Atomtests protestieren.

Rekorde in den 80er Jahren

1500 m: S. Aouita (MAR) – 3:29,46 min (1985)
Stabhochsprung: Sergej Bubka (URS) – 6,00 m (1985)
100 m: Florence Griffith (USA) – 10,49 sec (1988)
Hochsprung: Javier Sotomayor (CUB) – 2,44 m (1989)

Sport

Auch der zweite Anlauf von Boris Becker zum Gewinn des Mastersturniers scheitert. Im Finale unterliegt der Leimener dem Weltranglistenersten Ivan Lendl. Durch einen Sieg über Lendl konnte Becker im Sommer seinen zweiten Wimbledontitel einheimsen.

 Wetter

Regen und Schneestürme prägen den Dezember 1986. 117 mm bedeuten fast dreimal soviel Niederschlag wie im langjährigen Mittel (41 mm). Bei Temperaturen um 2,2 °C ist es auch zu warm.

1987

Dienstag 8. Dezember

Gesellschaft

In sowjetischer Haft bleibt Mathias Rust vorerst. Die Behörden lehnen ein Gnadengesuch des 19jährigen ab. Rust war im Mai auf dem Roten Platz in Moskau gelandet. Sein von der Luftüberwachung unbemerktes Eindringen von Skandinavien aus hat in der Sowjetunion zu heftigen Rügen geführt. Das sowjetische Militär sah sich der Lächerlichkeit preisgegeben und besteht darauf, daß Rust seine vierjährige Haftzeit abbüßt.

Politik

Die Intifada, der Daueraufstand der Palästinenser in den seit 1967 von Israel besetzten Gebieten, bricht aus. Im Westjordanland, dem Gazastreifen und Ost-Jerusalem beherrschen Streiks, offene Revolten und Gewaltaktionen die Szenerie. Allein bis Mitte 1988 fordert die Intifada 210 Todesopfer. Der Aufruhr setzt den israelischen Staat unter erheblichen Druck und stärkt in Israel die Bewegung »Frieden gegen Land«.

Wetter

Fast normal gibt sich der Dezember 1987. Statt des langjährigen Mittels von 41 mm Niederschlag und 36 Stunden Sonnenschein fallen nur 33 mm bei 36 Stunden Sonne. Mit 2,6 °C ist es allerdings zu warm.

Sport

Wegen der Niederlage gegen die Türkei im November wird der DDR-Nationaltrainer der Fußballauswahl, Bernd Stange, seines Postens enthoben. Die DDR-Kicker haben in dem Qualifikationsspiel in Istanbul mit 1:3 deutlich den kürzeren gezogen und die Qualifikation verpaßt. Entlassungen und Bestrafungen wegen schlechter sportlicher Ergebnisse sind in der DDR häufig. Nach der Wende 1989/90 berichten zahlreiche Spitzensportler von Repressalien.

Auffällig unauffällig: So stellt sich die lässige Frau der 80er ihre Mode zusammen

 Politik

Kontakt zu Regimegegnern hält Frankreichs Präsident Mitterrand. Er empfängt während seines Staatsbesuches in der ČSSR Menschenrechtler, u. a. den Schriftsteller Václav Havel.

Wetter

Novemberwetter mit mehr Regen (59 mm) und weniger Sonne als normal (32 statt 36 Stunden) bringt der Dezember 1988. Dabei ist es mit 3,4 °C auch viel zu warm (langjähriger Mittelwert: 0,7 °C).

Freitag 8. Dezember

Gesellschaft

Gregor Gysi übernimmt die SED, die seit fünf Tagen nach dem Rücktritt der alten Führungsriege ohne Spitze ist. Der gut beleumundete Rechtsanwalt Gysi will die Partei erneuern und demokratisieren. Unter seiner Führung wird am 16. Dezember aus der SED die Partei des Demokratischen Sozialismus (PDS). Sie gewinnt in den nächsten Jahren unter der Bevölkerung in Ostdeutschland hohes Ansehen als Sprachrohr ihrer Interessen.

Politik

Grünes Licht zur Wiedervereinigung gibt die Europäische Gemeinschaft den Deutschen. Einen knappen Monat nach dem überraschenden Mauerfall ist Europa aber noch in Sorge angesichts der Aussicht eines wiedervereinigten, großen Deutschlands.

Wetter

Wie in den Vormonaten ist es auch im Dezember 1989 viel milder als normalerweise: 2,7 °C im Monatsschnitt bedeuten eine Abweichung von zwei Grad nach oben.

Leger und bequem: Herrenmode im Oversize-Stil mit Jackenmantel

1990-1996

Highlights des Jahrzehnts

1990

- Wiedervereinigung Deutschlands
- Südafrika: Nelson Mandela nach 27jähriger Haft freigelassen
- Irakische Truppen überfallen das Emirat Kuwait
- Gewerkschaftsführer Lech Walesa neuer polnischer Präsident
- Litauen erklärt Unabhängigkeit
- Deutsche Fußballnationalelf zum dritten Mal Weltmeister
- Star-Tenöre Carreras, Domingo und Pavarotti treten gemeinsam auf

1991

- Alliierte befreien Kuwait und beenden Golfkrieg
- Auflösung des Warschauer Pakts
- Bürgerkrieg in Jugoslawien
- Auflösung der Sowjetunion – Gründung der GUS
- Sensationeller archäologischer Fund: »Ötzi«
- Vertrag von Maastricht
- Sieben Oscars für Kevin Costners »Der mit dem Wolf tanzt«
- Bürgerkrieg in Somalia
- Frieden im Libanon

1992

- Abschaffung der Apartheid-Politik in Südafrika
- Entsendung von UNO-Blauhelmsoldaten nach Jugoslawien
- Tod des ehemaligen Bundeskanzlers Willy Brandt
- Bill Clinton zum 42. US-Präsidenten gewählt
- In Hamburg wird mit Maria Jepsen zum ersten Mal eine Frau Bischöfin
- Fertigstellung des Rhein-Main-Donau-Kanals

1993

- Teilung der ČSFR in die Tschechische und die Slowakische Republik
- Rechtsradikale Gewaltakte gegen Ausländer
- Gaza-Jericho-Abkommen zwischen Israel und der PLO
- Skandal um HIV-Blutplasma
- Einführung von fünfstelligen Postleitzahlen im Bundesgebiet
- Sexskandal um Pop-Star Michael Jackson

1994

- Nelson Mandela erster schwarzer Präsident Südafrikas
- Fertigstellung des Eurotunnels unter dem Ärmelkanal
- Über 900 Todesopfer beim Untergang der Fähre »Estonia«
- Abzug der letzten russischen Truppen aus Berlin
- Michael Schumacher erster deutscher Formel-1-Weltmeister

1995

- Weltweite Proteste gegen französische Atomversuche im Pazifik
- Giftgasanschlag in Tokio
- Einführung von Pflegeversicherung und Solidaritätszuschlag
- Verpackungskünstler Christo verhüllt den Berliner Reichstag
- Ermordung des israelischen Regierungschefs Yitzhak Rabin
- Friedensvertrag für Bosnien

1996

- Arafat gewinnt Wahlen in Palästina
- IRA kündigt Waffenstillstand auf
- 100 Jahre Olympia: Jubiläumsspiele der Superlative in Atlanta

Der Präsident spielt Saxophon: Bill Clinton feiert 1993 die Amtseinführung

1990

Samstag 8. Dezember

 Politik

Der »Spiegel« greift den früheren Ministerpräsidenten der DDR, Lothar de Maizière, an. Er soll als inoffizieller Mitarbeiter unter dem Decknamen »Czerny« jahrelang der Stasi als Informationszuträger gedient haben. De Maizière bestreitet die Vorwürfe entschieden. Trotzdem tritt der jetzige »Sonderminister« der Bundesregierung am 17. Dezember zurück. Zahlreiche Polit-Größen aus den neuen Bundesländern geraten unter Stasi-Verdacht. Viele Vorwürfe werden trotz der Millionen Akten in den Archiven nie geklärt, wie die Angriffe gegen de Maizière oder den brandenburgischen Ministerpräsidenten Stolpe.

 Politik

Die Kommunisten in Georgien erklären ihren Austritt aus der KPdSU, der Kommunistischen Partei der Sowjetunion. Die Teilrepublik strebt ihren Austritt aus der UdSSR an. Er folgt 1991.

 Wetter

Viel Feuchtigkeit bringt der Dezember 1990 mit seinen 73 mm Niederschlag, die den Normalwert (41 mm) deutlich überbieten. Bei einer Durchschnittstemperatur von 1,1 °C mischen sich Regen, Eisregen und Schnee.

1991

Mit einem Bein im Grab steht die Sowjetunion durch die Unterzeichnung eines Vertrages, mit dem Rußland, Weißrußland und die Ukraine eine Staatengemeinschaft gründen, aus der die Gemeinschaft Unabhängiger Staaten (GUS) hervorgeht. Am 12. Dezember ergeht ein Auflösungsbeschluß für die Sowjetunion. Neun Tage später schließen sich elf der 15 Nachfolgestaaten der UdSSR der GUS an. Das Sowjetsystem ist 74 Jahre nach der Oktoberrevolution Geschichte.

Preise in den 90er Jahren

1 kg Butter	8,20
1 kg Mehl	1,21
1 kg Fleisch	12,85
1 l Vollmilch	1,33
1 Ei	0,27
10 kg Kartoffeln	10,30
1 kg Zucker	1,92
Stundenlohn	24,91

in DM, Stand 1993

Sport

Zum zweiten Mal wird Lothar Matthäus Weltfußballer des Jahres. Der Weltfußballbund FIFA befragt alljährlich die Nationaltrainer der Mitgliedsverbände nach dem überragenden Kicker.

Wetter

Sehr wechselhaft gebärdet sich der Dezember 1991. Die 73 mm Niederschlag übersteigen das langjährige Mittel von 43 mm ebenso deutlich wie die Sonnenscheindauer mit 54 (statt 36) Stunden.

Dienstag 8. Dezember

 *Gesellschaft*

Fernsehspots gegen Ausländerhaß laufen auf allen deutschen Fernsehkanälen an. Die Morde von Mölln, wo im November drei Menschen durch einen Brandanschlag umgekommen sind, haben zu Gegenkundgebungen in der Republik geführt. Vor zwei Tagen haben in München allein 400 000 Menschen gegen Ausländerfeindlichkeit demonstriert. Seit 1990 ist die Zahl rechtsextremer Gewalttaten in der BRD stark angestiegen.

Krawatte ist kein Muß mehr: Anzug mit zweireihigem Sakko

 Politik

Die ersten UN-Truppen gehen in Somalia an Land. 35 000 Soldaten sollen die Lage in dem bürgerkriegsgeschüttelten Land stabilisieren und den Hungernden helfen. Die Mission scheitert 1994 an den Bandenführern, den »Clanchefs«.

Wetter

Sonnig beginnt der Dezember 1992, um regnerisch zu enden. Daher liegen sowohl die Niederschlagsmenge (60 mm) als auch die Sonnenscheindauer (55 Stunden) weit über »normal«.

Mittwoch 8. Dezember

Schlanker wird die AEG durch den Verkauf ihres Haushaltsgerätebereiches an den schwedischen Konzern Elektrolux. Die Firma, die seit 1985 eine Tochter von Daimler-Benz ist, braucht dringend Geld zur Schuldendeckung. Sie erhält aus dem Verkauf 1 Mrd. DM. Die Mitarbeiterzahl schrumpft von 60 800 auf 48 100. 1995 geht AEG endgültig unter, auch wenn der werbewirksame Name erhalten bleibt.

Technik

Berlin und Hamburg sollen nach dem Beschluß der Bonner Regierung ab 2003 durch den Transrapid verbunden sein. Die Magnetbahnstrecke kostet mindestens 8,9 Mrd. DM. Der Transrapid erreicht Geschwindigkeiten von über 400 km/h.

Wetter

Mild und feucht präsentiert sich das Dezemberwetter 1993. Die Temperaturen um 3,8 °C liegen weit über dem Mittel von 0,7 °C. Mit 85 mm fällt doppelt soviel Regen wie in durchschnittlichen Jahren.

Für die heißen Sommer der 90er Jahre: Kleid mit Bustieroberteil

Donnerstag 8. Dezember

Stars der 90er Jahre

Kevin Costner
Filmschauspieler
Julia Roberts
Filmschauspielerin
Whitney Houston
Sängerin
Michael Schumacher
Rennfahrer
Luciano Pavarotti
Sänger

 Politik

17 000 Veteranen des Golfkrieges in Amerika leiden nach einem offiziellen Bericht an Krankheiten. Die US-Armee hat ihren Soldaten zum Schutz vor befürchteten irakischen Angriffen mit Chemiewaffen Gegenmittel injiziert. Diese sollen verantwortlich für die Krankheitsfälle sein. Die traditionell starken Veteranenverbände der Soldaten laufen Sturm auf das Pentagon.

 Politik

Ein Beispiel an Europa nehmen sich die Staaten des amerikanischen Kontinents. 34 von ihnen – nur Kuba fehlt – verhandeln in Miami über eine »Amerikanische Freihandelszone« (FTAA). Die Delegationen einigen sich darauf, 2005 alle Handelsbarrieren zu beseitigen. Die FTAA würde 800 Millionen Menschen zusammenbringen.

 Wetter

Außergewöhnlich sonnig fällt der Dezember in diesem Jahr aus. Er bietet 63 Sonnenstunden – fast doppelt so viele wie gewöhnlich. Dabei klettern die Temperaturen auf einen Monatsschnitt von 3,8 °C.

1995

Freitag 8. Dezember

Politik

Neue Diäten beschließt der Deutsche Bundestag für seine Abgeordneten. Bis 1998 werden die momentan bei 10 366 DM liegenden Abgeordnetenbezüge auf 12 875 DM ansteigen. Traditionell gibt es bei jeder Diätenerhöhung in der Bevölkerung Entrüstungsstürme. Um die Bundestagsabgeordneten davon zu befreien, gab es im Sommer den Vorschlag, das Gehalt der Politiker an das der Bundesrichter zu koppeln. Da diese Regelung aber bis zum Jahr 2000 Bezugssteigerungen von 40 % bedeutet hätte, war sie nicht durchsetzbar – wegen des Entrüstungssturms in der Öffentlichkeit.

Rekorde in den 90er Jahren

Weitsprung: Mike Powell (USA) – 8,95 m (1991)
110 m Hürden: Colin Jackson (USA) – 12,91 sec (1993)
Skifliegen: E. Bredesen (NOR) – 209 m (1994)
Dreisprung: J. Edwards (GBR) – 18,29 m (1995)

Gesellschaft

Ein sechsjähriger Knabe wird in Tibet zum Pantschen Lama erhoben. Er ist damit das zweithöchste Oberhaupt der Lamaisten.

Wetter

Den ersten richtigen Winter seit fast 10 Jahren leitet der Dezember 1995 mit einem Temperaturschnitt von –2,8 °C ein.

125

1997

Montag 8. Dezember

Donnerstag 8. Dezember

Camille Claudel

*8.12.1864 Fère-en-Tardenois/Aisne

Die Französin war eine der herausragendsten Bildhauerinnen um die Jahrhundertwende. Seit 1883
lernte sie bei Auguste Rodin, der ihr Mentor und
Liebhaber wurde, aber auch die Übergestalt, die ihr
eigenes Werk in den Schatten rückte. Nachdem sich
beide 1898 zerstritten hatten, konnte Claudel nur
schwer in der Pariser Gesellschaft bestehen – sie
paßte nicht in das zeitgenössische Frauenbild. Die
Künstlerin zerbrach an der Mißachtung. 1913 kam
sie in eine Anstalt, die sie bis zu ihrem Tod 1943 nicht
mehr verließ.

Dienstag 8. Dezember

Sammy Davis jr.

*8.12.1925 Harlem/New York

»Mr. Wonderful«, das Broadway-Musical, das ihn 1956 zum Star machte, gab dem Entertainer einen lebenslangen Spitznamen. Schon als Kind stand Davis auf Harlemer Bühnen und unterhielt das Publikum mit Witzen, Gesang und seiner unglaublichen Mimik. Seine Erfolge am Broadway brachten ihm als erstem farbigen Künstler eine eigene Show im US-Fernsehen ein. Er war neben Dean Martin und Frank Sinatra eines der Mitglieder des ebenso legendären wie trinkfesten Rat Pack. 23 Filme und 40 Platten hinterließ er seinen Fans, als er 1990 starb.

Montag 8. Dezember

Maximilian Schell
*8.12.1930 Wien

Als bisher einziger Schweizer erhielt der Bruder von Maria Schell einen Oscar als »bester Schauspieler« – für seine Rolle in »Das Urteil von Nürnberg« (1961). Ein starkes Renommee erwarb sich Schell schon am Hamburger Schauspielhaus, wo er seit 1959 unter Gustaf Gründgens auftrat. Später arbeitete Schell auch selbst als Regisseur und zeigte dabei einen Hang zu Literaturverfilmungen. 1969 entstand »Erste Liebe« nach Turgenjew und 1975 sein größer Erfolg mit der Dürrenmatt-Verfilmung »Der Richter und sein Henker«.

Mittwoch 8. Dezember

Jim Morrison

*8.12.1943 Melbourne/Florida

Morrison gründete 1965 »The Doors«, mit denen er in die Musikgeschichte einging. Sich selbst sah der Sänger der Formation weniger als Musiker, sondern als Poeten in wirren Traditionen zu seinen Lieblingsschriftstellern Baudelaire und Rimbaud. Seine Bühnenauftritte als »Prinz der Finsternis« in hautengen Lederhosen sind von legendärer Obszönität und veranlaßten die »Liga für Anstand« 1969 zu einer Anti-»Doors«-Demonstration in Miami. Kurz vor seinem Tod 1971 trennte sich Morrison, zerrüttet von Drogen, von der Gruppe.

Dienstag 8. Dezember

Kim Basinger

*8.12.1953 Athens/Georgia

Das frühere Fotomodell war in der Filmbranche der weibliche Topstar der 80er. Ihre Maße und ihr Gesicht verhalfen ihr 1983 in »Sag niemals nie« zum Einsatz. Sean Connery gab ihr höchstpersönlich in seinem offenbar doch letzten Bond-Film die Ehre. Danach führte der Weg für Basinger steil nach oben. Einen festen Platz in der Filmgeschichte hat ihr »9½ Wochen« eingebracht. Seit Überschreiten ihres 40. Lebensjahres leidet Basinger unter dem Image der »einstigen Schönheit« nach den wirren Hollywoodmaßstäben.

Impressum

© Chronik Verlag
im Bertelsmann Lexikon Verlag GmbH, Gütersloh/München 1996

Autor:	Michael Venhoff, Sonsbeck-Labbeck
Redaktion:	Manfred Brocks, Dortmund
Bildredaktion:	Sonja Rudowicz
Umschlaggestaltung und Layout:	Pro Design, München
Satz:	Böcking & Sander, Bochum
Druck:	Brepols, Turnhout

Abbildungsnachweis: Cinetext, Frankfurt a.M.: 130, 132; Interfoto, München: 128, 129; Keystone, Hamburg: 131.
Modefotos 1900-30er Jahre, Damenmode 40er Jahre, Damenmode 50er Jahre: Bertelsmann Lexikon Verlag, Gütersloh; Modefotos Herrenmode 40er Jahre, Herrenmode 50er Jahre, 60er-90er Jahre: Prof. Dr. Ingrid Loschek, Boxford.
Alle übrigen Abbildungen: Bettmann Archive/UPI/Reuters/John Springer Coll., New York.

Trotz größter Sorgfalt konnten die Urheber des Bildmaterials nicht in allen Fällen ermittelt werden. Wir bitten gegebenenfalls um Mitteilung.

ISBN 3-577-31208-4

*Bücher
aus dem
Chronik Verlag
sind immer
ein persönliches
Geschenk*

Chronik
Verlag

Vom 1. Januar bis zum 31. Dezember

Individuelle Bücher – für jeden Tag des Jahres eines. Mit allen wichtigen Ereignissen, die sich genau an diesem besonderen Tag während der Jahre unseres Jahrhunderts zugetragen haben. Doch trotz all der großen Ereignisse des Weltgeschehens – es gibt immer auch persönlich wichtige Daten für jeden einzelnen Menschen, sei es ein Geburtstag, Hochzeitstag, Erinnerungstag, oder der Tag, an dem eine entscheidende Prüfung bestanden wurde. So wird aus einem Tag im Spiegel des Jahrhunderts zugleich auch ein »persönlicher« Tag. Und endlich gibt es für all diese Anlässe das richtige Buch, das passende Geschenk!

Persönliches Horoskop

Was sagen die Sterne zu den jeweiligen Tagen? Außerdem erfahren Sie, welche bekannten Menschen unter dem gleichen Sternzeichen geboren wurden.

Ein ganz besonderer Tag

Hier erfahren Sie, was genau diesen Tag zu einem ganz besonderen Tag macht.

Die Ereignisse des Tages im Spiegel des Jahrhunderts

Von 1900 bis zur Gegenwart werden die Fakten des Weltgeschehens berichtet, pro Jahr auf einer Seite! Mit Beginn jedes Jahrzehnts wird die Dekade kurz in der Übersicht dargestellt. Aufgelockert sind die Fakten durch viele Abbildungen und Illustrationen.

Geburtstage berühmter Persönlichkeiten

Berühmte Personen, die an diesem besonderen Tag Geburtstag haben, finden sich mit ihrem Porträt und kurzer Biographie wieder.

Die persönliche Chronik

366 individuelle Bände
je 136 Seiten mit
zahlreichen Abbildungen
Gebunden

In allen Buchhandlungen

DIE PERSÖNLICHE CHRONIK

Das Buch vom
31.
DEZEMBER
*Ein ganz
besonderer Tag*

Chronik Verlag

Von 1900 bis zur Gegenwart

1900
1913
1914
1915
1916
1917
1918
1919
1920
1921
1922
1923
1924
1925
1926
1927
1928
1929
1930
1931
1932
1933
1934
1935
1936
1937
1938
1941
1942
1943
1944
1945
1946
1947
1948
1949
1950
1954
1957
1958
1959
1961
1939

Die »Chronik-Bibliothek« ist die umfassende Dokumentation unseres Jahrhunderts. Für jedes Jahr gibt es einen eigenen, umfangreichen und zahlreich – überwiegend farbig – bebilderten Band. Tag für Tag wird dabei das Weltgeschehen in Wort und Bild nachgezeichnet – jetzt lückenlos bis an die Gegenwart. Sie können das jeweilige Jahr in chronologischer Folge an sich vorüberziehen lassen, aber die »Chronik« auch als Nachschlagewerk oder als Lesebuch benutzen. Ein prachtvolles Geschenk – nicht nur für Jubilare. Und wer die »Chronik-Bibliothek« sammelt, erhält ein Dokumentationssystem, wie es in dieser Dichte und Genauigkeit sonst nicht zu haben ist.

»Chronik-Bibliothek« des 20. Jahrhunderts
Je Band 240 Seiten
600-800 überwiegend farbige Abbildungen
sowie zahlreiche Karten und Grafiken
12 Monatskalendarien mit mehr als
1000 Einträgen, circa 400 Einzelartikel,
20 thematische Übersichtsartikel
Anhang mit Statistiken, Nekrolog und Register
Ganzleinen mit Schutzumschlag

In allen Buchhandlungen

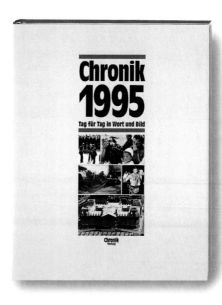